KÉTALA

Fatou
Diome

KÉTALA

ROMAN

À mes grands-parents,
Vos mots, lanternes de toutes mes nuits, resteront
ma meilleure part de kétala.

À ma mère,
Pour tout ce que le kétala ne peut disperser.
Douce sieste.

À ceux qui disposeront de mes plumes, masques,
peluches et châles mauves, qu'ils les écoutent et
s'en occupent avec tendresse.

Prologue

Lorsqu'une personne meurt, nul ne se soucie de la tristesse de ses meubles !

Tout était propre : dans la chambre, le lit n'était pas défait. Dans la salle de bains, la brosse à dents penchait encore sa tête hors d'un verre mauve. Sur le lavabo, un dernier flacon de parfum attendait son sensuel usage. Équipée avec goût, la cuisine suggérait la gourmandise. Seule une tache de café difforme semblait tatouée sur le carrelage, mais il fallait un esprit bien mal tourné pour la remarquer. Les fauteuils se tenaient tranquilles au salon, en face de l'ordinateur éteint et du téléviseur dont le bouton de veille rougeoyait sans insolence.

Silencieux décor, corps du silence, à lui tout seul un langage : une vie à posséder, à être possédé, à vouloir posséder, avant la pause finale. Quand, le corps silencieux, on ne dit plus : ma poupée russe, mon chapeau cubain, mon parasol, mon balcon en banlieue, mon jean Versace sur mon string Chantal Thomass, mon masque vénitien, mon Picasso, mon Botero, rondement installé dans mon hôtel particulier, si stylé, où pupazzo, l'humain, est rarement champion de la partie d'échecs. Maths ! Pendant qu'on s'occupe des corps, on oublie le décor, mais, après les corps, on en revient pitoyablement aux objets. *Pourtant, lorsque quelqu'un meurt, nul ne se soucie de la tristesse de ses meubles.*

Après l'enterrement de Mémoria, ses parents et ses proches étaient venus se recueillir dans son appartement, encore empli de son parfum. Cela faisait à peine trois heures que la défunte avait rendu son ultime souffle, mais elle occupait déjà sa dernière part de planète.

Ici, il vaut mieux ne pas prolonger son évanouissement, les pelles ne sont jamais loin et les fidèles, même s'ils ne s'en réjouissent pas, sont toujours prêts à rendre immédiatement au Seigneur ceux qu'Il rappelle à Lui et qui, dès lors, dit-on, ne nous appartiennent plus. La foi console, les vivants se détachent, la mort débaptise : on n'est plus Alpha, Moussa, Abdou ou Astou, mais simplement *Niiwbi* ou *Odallolé*[1], c'est-à-dire *le corps*. Une fois la victime de la faucheuse identifiée, on n'en parle plus qu'à la troisième personne. Le *il* ou *elle* isole, retranche, éloigne. Le

---

1. Le corps, respectivement en wolof et en sérère, des langues sénégalaises.

tiers soustrait n'est plus concerné par la subjectivité d'un *je* effrayé qui se protège du vide. Un vide créé par la mort et la désormais impossible interactivité du *je* avec un *tu* sans intention. On assiste donc à la levée *du* corps, entité indéfinie ou plutôt définie par sa préfiguration de notre fin à tous. Dès l'annonce du décès, les préposés au bain mortuaire s'emparent *du* corps, pendant que d'autres s'en vont *lui* creuser *une* sépulture. Pour le convoyage, une planche en bois, ultime trône, sera portée par des proches ou des volontaires. Souvent, les derniers alertés arrivent à la demeure endeuillée au moment où le cortège revient déjà du cimetière. On peut reporter, annuler, manquer tous les rendez-vous, mais pas celui-là : *on ne fait pas attendre le bon Dieu*, disent les fidèles. Aux humains d'attendre, et ils attendent : l'âge, l'amour, l'apprentissage des secrets de la vie, la réussite, le bonheur, peut-être, et l'appel de Dieu, sûrement.

Ce fut donc après l'enterrement et le départ des voisins que la famille prit le temps de se laisser aller à l'émotion, dans l'appartement de Mémoria. Quelques tardifs regrets alimentèrent leurs sanglots. La chaleur leur fit vider plusieurs litres d'eau. Puis, se ressaisissant, ils listèrent minutieusement les affaires de la défunte, avant de refermer la porte derrière eux. Dehors, ils se fondirent dans les nuances du jour qui, déjà, s'assombrissait. Le soleil caressait sa couche, la brise répandait la miséricorde.

Un soir dans une vie, c'est parfois une vie en un soir. *Noctivagus anima* ! Il manquera toujours une laisse pour priver l'âme de ses errances nocturnes. Et c'est tant mieux. Le soir, tout ce qui doit arriver s'installe confortablement ; tout ce qui doit partir s'en va sans crier gare. Âme aux pirouettes vertigineuses, la plume danse avec ce qui vient, avec ce qui va. Pour peindre une vie, il faut toutes les couleurs de la nuit. Il n'y a pas de bleu pur dans le ciel, juste le ton de mille fusions qui teignent les sillages mauves du cœur ailé qui s'élance. Ne me donnez pas des lingots d'or, ça m'alourdit. Un rire, une mélodie, une phrase, un souffle me suffira. Vole ! Fragile oiseau, vole ! On ne meurt pas, on se libère. Quelle que soit ton envergure, tes plumes ne couvriront jamais le ciel des Hommes. Quand, majestueux, le pélican s'envole, qui remarque l'arabesque, l'ombre de ses ailes au sol ? Et peu importe le poisson qu'il a soutiré à la mer. Il en reste toujours.

Au détour de certaines rues, des effluves d'encens taquinaient les narines, trahissant les coquettes qui se concoctaient une soirée coquine, en rêvant d'enchaîner Chronos au pied de leur lit. Une brassée d'amour, un doigt de tendresse, oui, mon Amour, plonge dans mon bras de mer, il n'est là que pour toi. Il faut ce qu'il faut de liquidité à la chair, puisqu'il lui a été donné la faculté de s'embraser. Aïe ? Hum ? Extincteur ? Non ? OK ! Bonne nuit.

Pendant que certains chauffaient leur couche, les heures continuaient leur course. La nuit se creusait, profonde, une tombe incommensurable, où l'humanité tout entière gît aux côtés de ceux qu'elle croit loin d'elle, dans un autre monde. L'au-delà n'était plus qu'une fiction. La lune émergeait d'une énième plongée, les nuages en avaient assez de jouer à cache-cache avec elle. Montre-toi ! Je suis là ! Nous y voilà !

Le ciel se racla la gorge et fit trembler les âmes inquiètes. De nombreux éclairs dessinèrent des zèbres au firmament et jetèrent une lueur bleutée à travers les interstices des fenêtres. Une grosse pluie rafraîchissante cisailla les ténèbres et, bientôt, emplit l'atmosphère d'une agréable odeur de sable mouillé. Dans sa chambre, le paysan sourit au creux de son oreiller. Le berger savait que la prairie sortirait bientôt son manteau vert pour saluer le passage de son troupeau et, qu'ainsi accueillies, ses bêtes seraient généreuses, elles lui permettraient de revenir chez lui, matin et soir, déposer devant le visage rayonnant de sa femme une outre pleine de lait. Ondoyant, les arbres nettoyaient leur cime de la poussière accumulée durant toute la saison sèche. La savane faisait peau neuve, les humains espéraient l'embellie, les astres modifiaient leur posture. Mais tout cela ne pouvait se faire sans tambour ni trompette. L'orage ! Quelques anges malfaisants savouraient leur victoire et leur fanfaronnade agaçait le ciel. Un ciel noir dont la colère ne tarda pas à parvenir aux terriens, terrorisant les petites natures.

— J'ai peur, j'ai peur ! dit l'oreiller.

— Je suis là, rassure-toi, répondit le matelas, ce n'est qu'un tonnerre, tu le sais bien, c'est juste la fée qui habite dans le ciel qui fait tomber sa vaisselle ; et comme elle a cassé sa jarre, toute l'eau qu'elle avait gardée dedans se déverse sur la terre. Regarde par la fenêtre : il pleut. Et les éclairs, c'est parce qu'elle fait du feu dans sa cuisine. Elle a sans doute des convives. Tu vois, il n'y a pas de quoi s'affoler.

— J'ai quand même peur, insista l'oreiller. Par un temps pareil, Mémoria me serrait très fort dans ses bras. Aïe ! Tu vois bien, les bourrasques vont finir par ouvrir les fenêtres ! Le vent va m'emporter. Aïe, j'ai peur !

— Bon, Oreiller, tu vas arrêter maintenant ? s'énerva Matelas, tu me fatigues à la fin, tu sais bien que Porte, la sentinelle, monte la garde et ne laissera jamais le vent t'emporter.

— Au secours ! ça claque de partout !

— Oreiller, calme-toi, dit la porte qui n'avait pas perdu un mot de la discussion, ce n'est que moi qui repousse le vent.

L'horizon s'éclaircissait, l'aube arborait une robe pastel, quand le ciel consentit enfin à taire sa colère. L'appartement baignait dans un lourd silence qui fut bientôt rompu par la frêle voix de l'oreiller.

— Merci, chère Porte, d'avoir si bien tenu, cette nuit, pendant la tempête. J'ai cru que nous allions tous être éparpillés. J'espère que tu sauras nous protéger aussi bien les prochaines fois.

— Ne te réjouis pas trop, Oreiller, pour être éparpillés, nous allons être éparpillés ! Et plus vite que tu ne crois. Tout ce qu'il y a dans cet appartement va bientôt disparaître.

— Ô Porte ! Ne me dis pas que tu vas laisser le vent nous disperser sans rien faire.

— Contre le vent, je vous garantis ma protection, c'est contre les humains que je ne peux rien.

— Comment ça les humains ? Nous n'avons plus rien à voir avec ceux-là, puisque Mémoria, notre adorable maîtresse, est décédée.

— Mais c'est justement ça notre problème. Tu as entendu les gens qui étaient ici, hier après-midi ? Évidemment que non, tu es toujours fourré dans cette chambre.

— Qu'ont-ils dit ? interrogèrent tous les meubles, en chœur.

— Ah, vous non plus, vous n'êtes pas au courant ? Ça ne m'étonne pas, les humains tiennent toujours leurs messes basses par-derrière. D'ailleurs, ils ont attendu d'avoir refermé l'appartement pour évoquer leur funeste dessein, oubliant que je pouvais tout entendre, tant qu'ils étaient devant moi, de l'autre côté, dans le couloir.

La porte ne semblait pas pressée d'annoncer ce qu'elle savait à son auditoire. Matelas perdit patience, bondit sur ses ressorts et se planta devant elle :

— Clic, clac ! Et puis quoi encore ? Arrête de nous faire lanterner et dis-nous ce que les humains ourdissent contre nous.

Les chaises se perchèrent sur la pointe de leurs pieds, les fauteuils se penchèrent, le grille-pain ouvrit sa bouche édentée, la table se rapprocha à quatre pattes, l'ordinateur ne fut plus qu'un œil figé, à l'écoute. Chacun manifesta son inquiétude à sa façon, mais tous partageaient la même impatience et témoignaient à la porte une attention toute particulière. Heureuse d'une telle qualité d'audience, Porte lâcha l'information comme on libère un papillon. La nouvelle virevolta dans la pièce et se propagea par échos dans tous les recoins de l'appartement :

Les humains avaient décidé de faire le *Kétala* de Mémoria, le partage de son héritage. Le huitième jour après son enterrement, selon la tradition musulmane, on devait, sous l'œil vigilant de l'imam, distribuer les affaires de la défunte aux différents membres de sa famille. Après que Porte eut fini de parler, il souffla comme un vent sibérien dans l'appartement. Il est des nouvelles qui s'abattent sur vous, tel un lasso de gaucho, pour vous traîner vers un tout autre destin. Les meubles en étaient à cet amer constat. À l'extérieur, une intense lumière d'août inondait maintenant les rues, la pluie de la veille avait, semblait-il, restauré la teinte bleue du ciel et lustré le disque solaire. Terrassés par ce qu'ils venaient d'apprendre, les meubles gisaient dans la pénombre de l'appartement, comptant les heures qui les rapprochaient inévitablement de la date tant redoutée.

En fin de matinée, un homme encore jeune passa dans l'appartement. Alerte, il épousseta quelques objets, caressa certains bibelots, puis, soudain, furieux, décocha un coup de pied à la table, boxa le fauteuil et ressortit, sans le moindre mot. Tous les meubles furent surpris par la scène qui raviva leur émotion. Des soins, ils avaient coutume d'en recevoir, auparavant. Des soins complets, effectués dans une ambiance chaleureuse. Oui, il y avait même de la musique et une douce voix, une voix de contralto, gravée de blues, qui chantonnait ; rien à voir avec cette aumône d'attention qu'on venait de leur infliger.

— Non, mais oh ! cria Table. Vous avez vu comment il nous a traités, celui-là ? Il se croit dans un dépôt d'Emmaüs ou quoi ? Ne sait-il pas que les meubles aussi peuvent se sentir orphelins malmenés ? ! Il y a la protection de l'enfance pour les gosses maltraités, des bataillons pour voler au secours des femmes battues, on trouve même des organismes pour consoler les maris victimes de coups de casserole et rien pour nous,

nous qui sommes dans la totale incapacité de geindre ou de rendre les coups. Où est la justice ? Cet homme va recommencer, c'est ainsi, l'impunité perpétue le crime. Je parie que ce type n'hésitera pas à nous jeter hors d'ici, peut-être même avant le kétala.

— C'est bien triste, ce qui nous arrive, ronchonna Mouchoir. Chacun de nous est une trace de l'histoire de Mémoria ; si on nous sépare les uns des autres, il ne restera plus rien de notre maîtresse.

— Et puis, qui sait entre quelles mains de brute je risque de tomber, moi ? dit l'ordinateur.

— Toi au moins, enchaîna la table basse, ils auront peur de te mettre en panne, tu auras peut-être la chance d'être bien traité. Mais moi, je risque de me retrouver dans un salon, où des gens mal élevés me poseront leurs pieds dessus, en regardant la télé.

— Quoi la télé ? dit celle-ci, de toute façon je ne me laisserai pas faire, moi. Ras-le-bol des cartons ! Un déménagement à mon âge ? Non, merci ! S'ils veulent me sortir d'ici, je crame exprès de l'intérieur, comme ça, ils ne pourront pas me fourguer à un foyer inconnu.

— C'est une façon d'échapper à tout changement de propriétaire, remarqua l'ordinateur, mais vois-tu, si tu réagis ainsi, tu vas immédiatement te retrouver à la casse.

— Oui, je préfère, ainsi je serai morte, comme Mémoria, ce serait une manière de rester avec elle. D'ailleurs, mieux vaut se retrouver à la poubelle plutôt que dans certaines familles humaines. Au moins, à la casse, aucun macho ne m'imposera le calendrier des championnats de football et aucune main de sale gosse ne viendra m'étourdir avec sa télécommande frénétique.

— Hé, frénétique toi-même ! lança la télécommande, dans une poussée d'urticaire, ce n'est pas ma faute si t'as été faite pour m'obéir.

— Balivernes ! s'insurgea la télé, ce n'est pas à toi que j'obéissais, mais à Mémoria qui, elle-même, te dictait ses ordres que tu devais me transmettre sans broncher.

— Bon, disons que j'obéissais à Mémoria et toi, tu m'obéissais. Il ne s'agit pas pour moi de nier ma soumission à notre défunte maîtresse, mais je tiens à te signaler que dans cet appartement comme partout ailleurs dans le monde, chacun se soumet ou gouverne à sa hauteur, le tout est de savoir porter sa charge. La vertu d'une marmite, ce n'est pas de s'ajuster à son couvercle, mais de bien cuire les aliments qu'on lui confie. Et toc !

On entendit de petits coups répétitifs, les brins d'allumette cognaient énergiquement la boîte qui les enfermait. L'un d'entre eux réussit à se dégager et pointa sa tête vers la télécommande :

— Voudrais-tu ignorer le rôle du feu dans la cuisson des aliments ? Laisse-moi te rappeler que la marmite ne servirait à rien sans moi. Au cas où tu mépriserais ma fonction, sache qu'il me suffirait d'un seul pas de danse au flanc de cette boîte pour enflammer tout ce qui se trouve ici.

— Oui, et toi avec ! rétorqua la télé. Tu es jeune, sans expérience et d'ailleurs comment pourrais-tu en avoir, puisqu'un brin d'allumette meurt dès son premier pas dans la vie ? Sache, petit, que seuls les humains sont assez rusés pour échapper au mal qu'ils répandent, eux seuls peuvent pratiquer la politique de la terre brûlée et s'en sortir ; on en a la preuve avec leurs guerres qu'ils ne se lassent pas de montrer à l'écran. Devant les glaces brûlantes de la Bérézina, Napoléon avait encore assez d'ardeur pour faire périr vingt-cinq mille de ses hommes et survivre. Alors, petit brin, voudrais-tu te prendre pour Napoléon ? Aurais-tu assez de courage pour nous cramer, toi y compris ?

— Je ne suis pas petit brin ! Je suis Brin d'allumette ! Espèce de vieille machine ! Tu as entendu Montre citer le Cid, tu devrais savoir qu'« aux âmes bien nées la valeur n'attend pas le nombre des années ». Regarde-toi, les nouvelles télés, même les petites, sont beaucoup mieux que toi, elles effectuent des tâches que tu es incapable de réaliser. Quant à moi, je suis bien plus petit qu'un morceau de silex mais je suis plus efficace pour faire naître le feu.

— C'est exactement ce que je disais, seuls les Hommes sont épargnés par le mal qu'ils créent : on ne devrait pas t'appeler Brin d'allumette mais

Boule de poison, car c'est bien le poison des Hommes qui te rend redoutable. Le bout de bois qui te prête son nom n'est qu'une victime dans l'histoire, mais c'est lui que les humains ont choisi de placer entre l'enfer de leur invention et leurs doigts malins. Tu n'es qu'un mal sur la longue liste des maux imaginés par ces créatures qui se prennent pour l'espèce animale la plus évoluée.

— Je ne suis pas un mal ! Mâle, oui ! Et mâle utile. Je donne le feu qui cuit la nourriture des Hommes !

— C'est peut-être là où le bât blesse, remarqua la statue du Chasseur, car il a fallu qu'ils tuent pour avoir besoin de cuire de la chair sanguinolente. Quand leur âme ignorait le plaisir qu'ils pouvaient goûter à ôter la vie, ils n'avaient nul besoin de cuire pour s'alimenter.

— Oui, mais je donne aussi la flamme qui les réchauffe, la lumière qui les éclaire. Je ne suis pas un mal. Que serait l'espoir d'un enfant, sans le frémissement du feu sous la marmite de sa mère ; l'hiver septentrional, sans le crépitement de la cheminée ; un tête-à-tête amoureux, sans la crête discrète d'une bougie qui enflamme le cœur du berger en trahissant légèrement la gêne tapie sur les joues de sa bergère ? Enfin, que serait la danse des Hommes sans la danse du feu ? Une famine ! Un hiver mortel ! Un abîme ! D'insondables ténèbres ! À moi tout seul, je leur évite tout cela. Je suis la famine transformée en bol de riz chaud, je suis le cœur qui bat dans l'hiver, je suis le flambeau surgi des ténèbres pour illuminer le chemin des Hommes vers l'espoir et la spiritualité. D'ailleurs, ne suis-je pas de toutes les fêtes religieuses ?

— Voyons ! moi qui croyais la vanité réservée aux Hommes, soupira le sage Masque en bois qui, perché sur son mur, écoutait et observait le manège depuis un moment. Continuez à vous comporter en ennemis jurés et vous allez finir par donner raison aux humains qui veulent nous séparer.

À ces paroles, les esprits convergèrent vers la préoccupation commune, les disputes s'estompèrent. Masque trouva le moment propice au dialogue et mit sa diplomatie à l'œuvre :

— Je pense que nous partageons tous, ici, la même révolte. Il s'agit maintenant de réfléchir, ensemble, au moyen d'empêcher les humains de mettre leur plan à exécution. Nous disperser, nous, les témoins de l'histoire de Mémoria, c'est éliminer toute trace de cette merveilleuse femme, puisqu'elle n'a pas eu d'enfant. C'est donc à nous de sauver sa mémoire. Reste à savoir comment ?

— Eh oui, comment ? s'interrogèrent les autres, en chœur.

Soudain, le canapé s'étira de tout son long. Fier, il annonça :

— Compagnes et compagnons d'infortune, j'ai trouvé la solution !

Tous se rapprochèrent, intrigués. Il continua :

— Puisque Porte, notre sentinelle, à force de bâiller et de s'entrebâiller, laisse toujours les Hommes vaincre sa vigilance, ce sera à moi désormais de contenir leur invasion. Je me tiendrai juste derrière Porte, ainsi je bloquerai hermétiquement le passage. N'ayez aucune crainte, personne ne pourra entrer pour nous sortir d'ici.

— Ah, dégage, Canapé ! Tu m'écrases, ce que tu peux être lourd parfois, gémit le coussin qui était tombé au premier mouvement de Canapé. Tu te crois intelligent, mais ta solution ne tient pas debout. Tu oublies que ce sont des mains humaines qui t'ont installé ici, tout comme nous autres ; de la même manière, elles disposeront de nous à leur fantaisie.

— C'est bien ce que je disais, ronchonna encore Mouchoir, il ne restera plus rien de Mémoria. À l'évidence, ce Kétala aura bien lieu et chacun de nous s'en ira avec une parcelle de la vie de Mémoria. Nom d'une morve, mais que faire ?

La perplexité noya l'appartement dans le silence. Le soleil se jouait des persiennes et laissait filtrer des faisceaux lumineux qui ne parvenaient pas à clarifier la situation.

— J'ai une idée, fit Masque, qui surplombait toujours l'assemblée. Je viens d'une civilisation où les hommes se transmettent leur histoire familiale, leurs traditions, leur culture, simplement en se les racontant, de génération en génération. Je propose donc…

— Ha ! Ha ! Ha ! Tu proposes quoi ? rugit Canapé. Que nous fassions des enfants, peut-être ? Et puis quoi encore ? On t'a dit que les sculptures de Michel-Ange font des petits ? Remarquez, moi, je pourrai toujours considérer les coussins comme mes petits, nous avons au moins la mousse et la housse en partage, c'est une vraie proximité génétique ; mais toi, Masque, un bout de bois desséché, ce n'est pas demain que tu vas te mettre à bourgeonner ! Alors, ta vénérable tradition orale, ton bouche-à-oreille culturel, laisse-moi rire. Ils ne connaissent pas l'Alzheimer chez toi ou quoi ?

— Laisse-le quand même nous exposer son idée, intima la grande table, encouragée par les autres. Nous vous écoutons, Masque.

— Bien, si on me laisse terminer. Comme nous ne pourrons pas empêcher les humains de nous disperser, je propose que chacun de nous raconte aux autres tout ce qu'il sait de Mémoria. Ainsi, pendant les six nuits et les cinq jours qui nous séparent du kétala, nous allons tous, ensemble, reconstituer le puzzle de sa vie. Nous saurons alors ce qu'elle faisait dans cet appartement où elle nous a rassemblés, comment elle a vécu et de quoi elle est morte. Ainsi, chacun de nous pourra partir vers n'importe quel horizon, mais avec l'histoire complète de notre défunte maîtresse.

— Je suis d'accord avec toi, Masque ! s'exclama la statue du chasseur africain. Ton idée est excellente ! Comme on dit chez moi : on ne peut pas toujours emmener les siens avec soi, mais on part toujours avec sa mémoire.

Tous les meubles et objets de l'appartement partagèrent cet avis, si bien que la proposition de Masque fut adoptée. Sans plus tarder, ils voulaient débuter une sorte d'assemblée du souvenir qui durerait, sans doute, jusqu'au jour du kétala de Mémoria. La journée tirait à sa fin quand Masque, perché sur son mur, fut désigné président de séance, presque à l'unanimité. Mais des voix s'élevèrent contre.

— Moi, Marinière, je suis contre cette nomination ! J'ai vécu assez longtemps au service de Mémoria pour mériter l'honneur de présider cette assemblée en son souvenir.

Agacé par le discours de Marinière, le grand boubou blanc l'interrompit :

— Tais-toi, Marinière, tu n'étais qu'une tenue de travail et rien de plus. Moi, elle m'a acheté, il y a peu de temps, pour la fête de la Tabaski[1].

1. Fête de l'Aïd-el-Kebir au Sénégal.

Comme tu peux le voir, je n'ai rien perdu de mon éclat. En dehors de quelques petites taches noires – mais qui peut éviter cela avec toutes les flaques d'eau qu'on a ici pendant l'hivernage ? –, ma blancheur est restée immaculée, raison pour laquelle notre maîtresse me conservait soigneusement et me portait toujours pour la prière. Convenez-en, d'entre nous tous, je suis le plus saint, moi qui accompagnais sa vie religieuse, ses tête-à-tête avec son Seigneur. Je suis donc l'imam légitime de notre communauté. Qui, mieux que moi, peut diriger cette assemblée ?

Le châle de prière s'offusqua :

— Eh, alors là non ! Je ne suis pas d'accord avec une telle dictature. Certes, elle priait ces derniers temps, mais elle ne priait pas sans se couvrir la tête et c'est de moi qu'elle se servait pour cela. Si nous admettons que la tête est bien la partie supérieure du corps et le siège de l'esprit, nul parmi vous ne peut nier ma priorité. Puisque de son vivant notre propriétaire en avait décidé ainsi, vous n'avez guère d'autre choix que de me reconnaître comme chef de plein droit.

La bouilloire s'insurgea :

— A-t-on déjà vu une musulmane prier sans avoir fait ses ablutions ? J'avais donc la fonction primordiale. Je me souviens qu'elle retroussait pagne et robe pour se servir de moi. L'eau de la pureté, c'est à moi qu'elle la confiait. Des châles, des boubous, je l'ai vue en changer souvent, jamais je ne l'ai vue changer de bouilloire, depuis le jour où elle m'a achetée au marché Sandaga. Pourtant, des bouilloires, il y en avait là-bas par milliers, mais c'est bien moi qu'elle a choisie. Elle appréciait mes douces rondeurs, mon couvercle si facile à manier, mon bec qui ne déversait d'eau que le juste nécessaire, afin de lui épargner les va-et-vient au robinet. Utile et économe, j'étais l'alliée infatigable et indispensable au culte qu'elle rendait à son Seigneur. Ayant toujours accompli le service qui précédait tous les autres sur le chemin de sa foi, c'est-à-dire sa purification, je revendique, ici, le droit de continuer à présider le culte, même celui des morts.

— Ça suffit ! crièrent tous les autres meubles et objets de l'appartement.

Puis, une statue de femme, aux formes généreuses, ajouta :

— Nous avons, en majorité, choisi Masque, d'abord, parce que c'est lui qui a eu l'idée de cette transmission mutuelle du souvenir de notre défunte maîtresse, ensuite parce que, ayant assisté à d'innombrables palabres au cours de son existence, il est celui qui saura le mieux conduire nos débats.

Ce discours argumenté mit fin aux protestations. Mais ce n'était pas l'unique raison de la soudaine cessation des hostilités. Embarqués dans la même galère et visant tous le même rivage, les meubles renoncèrent à se disputer le gouvernail. La vraie souveraineté d'une existence n'étant sise ni au-dessus, ni au-dessous des autres, mais dans la possibilité d'être entièrement et librement soi-même parmi les autres, ils s'abstinrent d'imiter la manie élitiste des Hommes. La démocratie s'imposa d'elle-même, comme devant.

PREMIÈRE PARTIE

I

Précédée de son souffle calme, la nuit s'avançait, poussant les souvenirs devant elle, promettant une concentration facile, une écoute attentive, un dialogue fécond. Dans la salive des Hommes mûrissent et macèrent les mots, afin de se gorger de sens. Ces mots nomment la consistance du vide. Dans le silence du décor, sur la poussière muette qui couvre les objets, les mots libérés de l'esprit tracent de sinueuses pistes, ramassent et recomposent la vie émiettée, dispersée par le temps. Empirique, le décor est une mémoire vive. Et si l'âme se terrait dans l'inanimé, afin d'échapper aux ravages du temps ? Mémoire immobile, raconte-toi ! Raconte-moi ! En se gavant de tes silencieuses paroles, mon oreille me nourrit, telle une perfusion, du nectar de la vie. Agréable, le verbe est un jus d'orange, bu frais, il revigore. Désagréable, le verbe se fait décoction amère, remède ou poison, la grimace qu'il suscite est celle du convalescent ou du mourant. L'évocation de l'existence de

Mémoria promettait toutes ces saveurs et bien davantage.

— Au nom du respect de la mémoire, de notre éternelle fidélité à notre défunte maîtresse et en vertu des pouvoirs qui me sont conférés, je déclare ouverte la séance de reconstitution de la vie de Mémoria. Que chacun de nous s'engage, solennellement, devant ses pairs et surtout face à sa conscience, à ne rapporter que ce dont il a été témoin.

Un ronronnement envahit le salon. Mais la commune déclaration sur l'honneur était à peine prononcée qu'un homme ouvrit la porte de l'appartement, fila dans la chambre à coucher, puis revint au salon avec des bâtonnets d'encens, qu'il alluma et disposa minutieusement. C'était le type de la matinée, mais cette fois il s'était abstenu de cogner. Il avait même refermé la porte avec une certaine délicatesse, après avoir placé sur la table deux assiettes et des couverts, comme qui préparerait un dîner galant.

— Bon, espérons que notre assemblée ne sera pas constamment perturbée. Qui veut prendre la parole ? interrogea le président de séance. Nos oreilles ignorent tout ce qu'elles vont bientôt contenir, mais apparemment Assiette est déjà prête à les nourrir.

— Moi, je ne suis qu'une assiette mais, avec mes pairs, j'étais au service de la gourmandise de Mémoria. Maintenant, pour nous consoler, nous nous racontons la belle époque. Oui, celle où la table se couvrait d'une belle nappe fleurie pour nous accueillir. Mon premier souvenir est un dîner en tête-à-tête : il y avait Mémoria et un homme qui l'appelait *chérie*. Oui, j'ai bien dit *chérie*. Ne me demandez pas de vous expliquer, je n'ai jamais su ce que ça voulait dire. Chez nous autres, ustensiles de cuisine, on dit tasse, bol, louche, marmite, fourchette, couteau, cuillère, cafetière, etc. Et un cliquetis reste un cliquetis, une cruche, une cruche. Mais les humains, eux, n'ont pas cette clarté nominative ; en dehors de leurs vrais noms, ils s'affublent d'une incroyable quantité de mots qui demeurent mystérieux pour nous : ma poulette, ma pitchounette, ma choupette, ma biquette…

— Et bien sûr, ça rime toujours avec Assiette ! grogna Chasseur. Celui qui sert en commençant par son assiette s'en met forcément une plâtrée ! Ces mots des humains ne désignent jamais que le féminin ?

— Euh, bredouilla Canapé, il y a aussi ma bistouquette, ma zézette, ma qué…

— Ah, s'impatienta Chasseur, que du féminin encore !

— Ah non ! Désolée de vous contredire, Chasseur, grinça Montre, mais, selon le professeur de français de Mémoria, ces mots de

Canapé, *bistouquette*, *zézette*, etc., désignent ce qu'il y a de plus masculin. Il ne faut pas confondre signifiant et signifié. Un mot n'a pas forcément le genre de la réalité qu'il désigne. Donc…

— Ça va, ça va ! éructa Chasseur, qui n'avait rien compris aux explications de Montre. Assiette, si tu as encore des choses à dire, dépêche-toi. Sers-nous soupe et soupette, mais n'oublie pas que chacun, ici, doit pouvoir s'exprimer !

— Oui, oui, d'accord, ce n'est pas la peine de crier ainsi. Je disais donc que ce monsieur, qui a longtemps habité avec notre maîtresse, l'appelait *chérie*. J'ai remarqué qu'elle avait les yeux brillants et devenait toute douce, lorsqu'il lui disait ce mot. Dans la cuisine ou à table, dès que j'entendais ce mot bizarre, ça ne loupait pas, ils s'embrassaient dans la seconde suivante. Alors, par déduction, je pense que *chéri(e)* signifie *embrassons-nous*. En tout cas, c'est ce qu'ils faisaient très souvent, quand ils cuisinaient ou mangeaient seuls. Mais ils aimaient aussi recevoir du monde et chacun de ces repas était, pour nous, l'occasion de découvrir des plats d'origines diverses. Nous avons vu toutes sortes de mets succulents tirer leur orgueil de notre éclat. Sans bouger de l'appartement où nous étions en France, j'ai visité l'Inde, la Chine, le Japon, le Sénégal jusqu'au fond des cuisines. Chaque jour j'attendais, impatiente, qu'un bœuf tandoori, un canard laqué, une rangée de sushi, un poulet yassa ou un pot-au-feu vienne me confier son destin. Aucun repas digne de ce nom ne se déroulait sans moi, car jamais plat ne trouva meilleur autel qu'entre ces délicates fleurs qui m'habillent, sans vanité. Malheureusement, notre vie gargantuesque s'arrêta au bout de quelque temps. D'abord, j'entendis moins le mot *chéri(e)* pendant les repas, puis les tête-à-tête et les réceptions se raréfièrent avant de disparaître complètement. Je ne vis plus le jeune homme et je me demande encore ce qu'il est devenu. Seule, Mémoria cuisina de moins en moins, ses repas devinrent sobres et trop espacés. Parfois, elle sortait l'une d'entre nous pour éplucher une minable pomme verte qui nous laissait à peine une goutte de son jus. Certaines de mes pairs, mortes au service, fracassées sur le carrelage de la cuisine, par accident ou lors de violentes disputes avec le monsieur qui ne disait plus *chérie*, n'étaient plus là pour partager mes rares sorties du placard. Mais le pire, ce fut les derniers temps que nous avons passés en Europe, où elle se contentait souvent d'un yoghourt ; seules mes voisines, les petites cuillères à café, pouvaient s'en délecter à tour de rôle, quand elle n'avait pas décidé d'utiliser la même à manche mauve qu'elle laissait dehors, dans le panier posé sur l'évier. Nous autres, Assiettes, étions condamnées au Ramadan à perpétuité. Nous espérions un festin qui ne venait pas.

— Ces derniers temps, elle attendait, apathique, dit le canapé ; jour et nuit, elle attendait, allongée sur moi, j'en suis encore tout fripé. Les humains ont inventé la patience et ce sont les canapés qui en font les frais. Oui, c'est étonnant mais, ces derniers temps, elle ne sortait presque plus, vivait recluse, à s'alanguir sur moi.

— Pas que sur toi, rouspéta la baignoire, chez moi aussi, elle restait de longues heures. Noyée jusqu'au cou, elle lisait ou soufflait dans la mousse en contemplant la pointe de ses pieds. Je ne puis vous dire le nombre d'heures qu'elle passait ainsi, à attendre.

— Moi, elle me gardait parfois serré contre elle pendant très longtemps, ajouta l'oreiller. Entre ses bras ou tout contre sa tête, je voyais l'ombre de la nuit chasser la lueur du jour, quand ce n'était pas l'inverse. Je me demande encore pourquoi Mémoria ne venait pas au lit à intervalles réguliers, comme le font ses semblables. Mais si, c'est vrai ! Vous pouvez me croire, elle ne respectait pas le fameux cycle du sommeil. Même couchée, elle restait éveillée, dardant le plafond, comme si son regard suivait un fantasque vol de papillons invisibles aux autres. Elle ne rêvait pas, elle rêvassait, là, entre ses quatre murs.

— Qu'ils soient dehors ou enfermés, debout ou allongés, éveillés ou endormis, tous les humains cherchent à tracer leur ligne, leur trajectoire dans la vie. Cette quête, consciente ou pas, avouée ou non, motive toutes leurs actions. Si chacun de nous veut bien raconter ce qu'il sait de Mémoria, nous saurons comment elle menait la sienne. Afrique-Europe-Afrique, elle ne pouvait avoir accompli ce périple au hasard. Même si le destin aime rouler les humains comme des boules de billard, quelque chose devait certainement guider les pas de notre regrettée maîtresse.

— N'en fais pas une dissertation, Masque, ronchonna Montre, nous n'avons pas de temps à perdre.

— Bon, la parole est à la statue du chasseur ; depuis tout à l'heure il manifeste son impatience. Vas-y, Chasseur, nous t'écoutons.

— Moi, j'ai bien connu la famille de Mémoria, j'ai veillé sur elle, de génération en génération. Les stries qui me parcourent dessinent autant de sillages empruntés par diverses âmes. J'ai d'abord appartenu à son grand-père, agriculteur robuste, un chasseur dont la renommée dépassait sa contrée. On dit que son pas ne froissait pas l'herbe de la savane, quand il était à l'affût. On dit aussi que sa vue hypnotisait les lions, que sa femme avait inventé mille et une manières de cuisiner le gibier qu'il lui rapportait à profusion. Bref, on raconte beaucoup de choses à son sujet. J'ai vu le père de Mémoria grandir et emboîter le pas de son père. Je l'ai vu aller et sortir de la case de l'homme pour franchir le seuil du monde adulte. Je l'ai vu raser son premier duvet, en rêvant d'une barbe ; bomber le torse, en souriant à la poitrine naissante des jeunes filles. Je l'ai vu courtiser et épouser son amour de jeunesse, la mère de Mémoria. C'était il y a bien longtemps.

La télévision ne gardait pas encore les jeunes gens cloisonnés dans les demeures, séparés les uns des autres. Le soir ils se retrouvaient tous dans l'insouciance, l'électricité n'était pas encore là pour illuminer leurs veillées. Mais ils étaient vaillants et n'économisaient guère leurs forces pour arracher à la forêt le bois qui alimentait leurs bûchers nocturnes. Selon les consignes parentales, garçons et filles étaient censés se tenir à distance et organiser des veillées bien distinctes. Seules les danses et les cérémonies tenues en plein jour devaient les rassembler. Mais, tard la nuit, quand la fatigue avait enfin poussé les parents au fond de leur lit, le va-et-vient entre les deux groupes tissait la maille serrée des affinités. Nul ne peut dévier les lignes du cœur, elles sont incontournables. Sans aller jusqu'à débusquer le loup, les filles avaient de l'audace et savaient répondre à la cour timide mais assidue qu'on leur faisait à la brune. De très chaleureuses relations naissaient à la belle étoile et tiraient leur force du silence complice de toute la classe d'âge. À cette époque-là, les parents s'arrangeaient entre eux pour marier leurs enfants, en fonction d'anciennes alliances. En s'aimant en cachette, les parents de Mémoria avaient emprunté, sans le savoir, les rails qui leur étaient destinés. On s'était réjoui de les voir unis par les liens du mariage et, comme les récoltes étaient bonnes, le village entier festoya une semaine durant. La naissance de leurs enfants fut accueillie dans la joie et dignement célébrée, surtout celle de Mémoria, l'aînée. En réalité, son père qui espérait un garçon avait accumulé les profusions : « Quand mon fils naîtra, ce n'est pas un mouton mais un bœuf que j'immolerai ! » promettait-il à ses copains, sous l'arbre à palabres. Il déclenchait l'hilarité générale, on le raillait gentiment, le jugeant pressé et fanfaron, mais tous savaient qu'il tiendrait parole, il avait assez de bétail pour cela. Un soir, alors que sa femme luttait pour sa délivrance, entourée par quelques vieilles dames du village, il calmait son angoisse auprès de ses amis, lorsque la plus jeune des matrones vint lui annoncer la naissance d'une fille. « Je vais quand même tuer un bœuf ! » s'écria-t-il, avec soulagement. Cette décision n'étonna personne, sa jeune épouse avait souffert pendant une nuit et un jour, son retour parmi les vivants valait bien une grosse tête de bête sur l'autel des ancêtres qui, touchés par une telle gratitude, redoubleraient de bienveillance pour cette jeune famille. D'ailleurs, le dos de Mémoria fut fertile : elle ouvrit le chemin d'une nombreuse fratrie, cinq garçons seront suivis de trois filles. Mais, à l'inverse de ses frères et sœurs qui, plus tard, empruntèrent tranquillement le train du conformisme social, Mémoria glissa vers un itinéraire beaucoup plus original, plein de surprises.

— Holà-là ! Pitié ! Les parents, les grands-parents ; les mariages, les baptêmes et tout le toutim, ronchonna Mouchoir ; ne remonte pas si loin, nous n'avons que six nuits et cinq jours, je devrais même dire cinq nuits et cinq jours, car il est déjà bien tard pour ce soir. Pas le temps de démêler la toile d'araignée familiale, nous voulons juste reconstituer la part de l'histoire de Mémoria qui concerne la majorité d'entre nous, c'est-à-dire depuis qu'elle s'est installée dans cet appartement, ici à Dakar, où nous déplorons sa perte. Il s'agit de savoir comment elle y vivait et de quoi elle est morte. D'ailleurs, quel âge avait-elle ? Tu ferais mieux de nous le dire, Chasseur, au lieu de remonter à Mathusalem.

— Calme-toi un peu, Mouchoir, laisse chacun dire ce qui lui tient à cœur, intervint le vieux collier de perles. N'oublie pas que tout le monde t'a devancé dans la vie de Mémoria. Moi, par exemple, je peux t'en apprendre beaucoup, j'étais partout avec elle, depuis ses vingt ans. Avant, j'appartenais à sa mère, autant te dire que je l'ai vue grandir. Par la suite, je l'ai accompagnée en France avant de revenir ici, toujours avec elle. Des éphémères dans ton genre, nous en avons vu passer. Que représente la durée d'existence d'un mouchoir à l'échelle d'une vie humaine ? Tu peux me le dire ? Que sais-tu de Mémoria de si important à raconter, au point de couper la parole à tout le monde ? Une journée de rhume, peut-être ? Même pas, juste le temps d'expulser une morve. Alors, si tu veux apprendre son histoire, aie la correction d'écouter jusqu'au bout ceux qui en savent davantage que toi.

— Je veux bien écouter, mais toutes ces digressions ! Bientôt, le jour du Kétala va arriver ; à ce rythme-là, nous serons dispersés avant d'avoir entendu la moitié de l'histoire de Mémoria. On ne sait toujours pas quel âge elle avait ni quel genre de femme elle était. Bref, toutes ces choses indispensables pour garder l'image de quelqu'un en mémoire.

— Oh ! Franchement ! se déchaîna Montre. Entre ceux qui se croient sous l'arbre à palabres et ceux qui rouspètent sans cesse, je ne sais plus qui nous fait le plus perdre du temps. Arriver au bout de l'histoire qui nous intéresse à une telle vitesse de narration, autant tenter une traversée de l'Atlantique dans une calebasse !

— Vous l'aurez bien compris, mes chers amis, Mouchoir a raison et Montre n'a pas tout à fait tort. Notre temps étant limité, chaque orateur est donc prié d'aller à l'essentiel, précisa le président de séance. Parler, encore et encore, c'est une façon de ne pas pleurer. Quand le présent n'offre rien de plaisant à la langue, on s'acharne à mordre et à suçoter les souvenirs pour y chercher un certain goût de vivre. Je ne comprends que trop votre désir de prendre la parole ou de la garder. Puisque le verbe est créateur, c'est à lui de ressusciter celle qui est ravie à notre affection. Mais soyez quand même patients les uns envers les autres, le Chasseur aussi a raison : on ne peut envisager le parcours d'un fleuve sans remonter jusqu'à sa source. La parole est maintenant à vieux Collier de perles.

— Ah, non ! C'est de la gérontocratie ! J'en ai marre ! Je parie qu'il va commencer au temps de Lucy, celui-là ! S'il a l'éloquence d'Yves Coppens, il lui faudra un siècle d'audience !

— Silence, Mouchoir ! crièrent tous les meubles.

— C'est ton manque de discipline qui nous fait perdre du temps, lâcha dédaigneusement vieux Collier de perles. À force d'essuyer la morve des humains, tu t'es imbibé de tous leurs défauts, dont l'impatience et la colère. Puisque tu t'amuses à compter inutilement le temps, comme les humains, sache que Mémoria avait la trentaine. Est-ce que j'en suis sûre ? Mais oui, j'en suis certain, puisque j'appartenais à sa mère, bien avant sa naissance. C'était un bébé bien potelé. Petite fille, elle était vive et très gaie. Lorsqu'elle revenait de l'école, sa voix la précédait toujours à la maison, elle aimait chanter et dansait mieux que la plupart de ses copines. Pardon ? Ah, oui ? Ça n'a rien d'exceptionnel, une petite fille africaine qui danse bien, c'est ça : le rythme dans le sang, le sens du rythme, et patati-patata... Les gènes de Mozart viennent peut-être de Ouagadougou ? Ne me sortez plus ces sornettes qui n'ont qu'un seul but : garder à Monsieur Banania son sourire Félix Potin. Bref, vous pouvez me croire, l'agilité, la souplesse et la grâce de Mémoria en étonnaient plus d'un. En grandissant, elle devint un peu plus timide, réservant sa magie aux grandes occasions. Elle n'exposait plus son talent au hasard des soirées organisées au village. Cependant, elle ne pouvait rien faire pour empêcher les commentaires admiratifs que suscitait sa belle silhouette d'adolescente. Sa présence répandait la joie autour d'elle. Ses camarades, comme tous les villageois, furent désolés, lorsque son père, riche propriétaire terrien et grand éleveur, flairant le péril d'une sécheresse qui s'attardait, se résolut à vendre son troupeau pour aller s'installer en ville, avec femme et enfants. À Dakar, il s'improvisa commerçant. Alors qu'il démêlait les ficelles du négoce, sa famille découvrait la vie citadine. D'un caractère avenant, Mémoria n'eut aucune peine à se faire de nouveaux amis. Bientôt, ses camarades du lycée Kennedy répandirent leurs rires innocents, pleins de promesses, dans le salon familial. Ensemble, ils dévoraient leur goûter en plaisantant, sous le regard bienveillant de la mère heureuse de voir sa fille si bien acceptée par les enfants de la bourgeoisie locale. Il faut dire qu'avec le capital dont il disposait, le père de Mémoria s'était très vite fait un nom parmi les commerçants de la capitale. L'argent ne pouvait lui ôter l'amère nostalgie de son village natal, mais il lui avait permis d'acheter d'autres clefs du bonheur, capables d'ouvrir de nombreuses boutiques et toutes les portes de la notabilité dakaroise. La famille s'était vite embourgeoisée, il ne lui manquait plus que le raffinement des vieilles fortunes. Au lieu de payer un coursier ou de prendre le taxi, la mère de

Mémoria rentrait toujours du Marché Sandaga, sa calebasse bien remplie en équilibre sur sa tête. Son naturel villageois, elle l'affichait partout, telle une verrue au milieu de la figure. Ses bijoux clinquants, ses chaussures bruyantes, ses boubous aux broderies criardes et son vernis-tapin, au lieu de la rapprocher des citadines, la distinguaient de celles-ci. Ses pavés de fard ne parvenaient pas à masquer les sillons que la boue de sa rizière avait empruntés pour s'infiltrer jusqu'au fond de ses pupilles. Nourrie maintenant de poisson et de viande d'excellente qualité, sa peau terne en mue fleurait bon le parfum, mais les écailles de ses pieds et les gerçures de ses mains rappelaient encore la cueilleuse de rutabagas. De la campagnarde, elle avait perdu le charme, de la citadine, elle n'était que la caricature. En dépit de l'acharnement d'une voisine sophistiquée à lui inculquer les bonnes manières, jamais elle ne réussit à marcher comme les *dryankés*, ces pétulantes et élégantes dames, qui éblouissent tout le pays, Dakar en particulier. Quant à Mémoria, si ses chevilles n'enflaient pas, elle savait déjà que sa main se cotait lourdement à la bourse des dots. Elle savait aussi que, pour ses parents si fiers de leur nouveau statut, le gendre idéal ne courait pas les rues. Elle avait donc largement le temps de regarder ses seins remplir graduellement sa poitrine, en s'imaginant princesse. En attendant de faire monter les enchères et de repérer la perle rare, ses parents l'autorisaient à s'adonner à sa passion, la danse. L'aura de Mudra Afrique planait encore sur les jeunes filles. Senghor avait fait danser l'Afrique libre et Maurice Béjart n'avait pas été seul à admirer la prêtresse béninoise, l'étoile du Sénégal, Germaine Acogny ; les mères qui avaient vécu cette époque s'en souvenaient, leurs récits inspiraient les demoiselles. Mudra Afrique ! ça sonnait comme une prière de jeune fille. Mémoria et certaines de ses camarades rêvaient d'affûter leurs petits pieds, chacune se voyait future déesse du rythme et, tant que durait ce rêve, elles s'exerçaient dans les troupes de quartiers, où d'autres admiratrices de Germaine professaient. Une dame très distinguée dirigeait la plus connue d'entre elles, non loin de chez Mémoria. Son prénom à la consonance étrange, Tamara, suscitait bien des controverses, mais Mémoria et ses camarades ne virent aucun inconvénient à s'inscrire chez elle : bénéficier de son talent était la seule chose qui comptait à leurs yeux. Professionnelle, Tamara imposa la rigueur, nécessaire, disait-elle, pour révéler le potentiel de chacune de ses filles, comme elle les appelait. Attentionnée, elle alla même jusqu'à leur créer la chorégraphie de leur fête de fin d'année, par un mois de juillet caniculaire. Les filles du lycée Kennedy avaient organisé une danse publique où Mémoria, heureuse de passer en classe de première, donna la mesure de ses talents, devant le sourire ému de Tamara. Svelte et cambrée, elle arborait fièrement un ensemble, une longue jupe et un petit haut, qui mettait ses formes harmonieuses en valeur. Quoique son ensemble ne fût pas, comme l'aurait souhaité sa mère, taillé dans le meilleur tissu, Mémoria focalisa l'admiration du public. Oui, c'est vrai, moi, Collier de perles, j'y étais : ce jour-là, elle me reçut comme cadeau de sa mère et me porta avec élégance. Présent sans être pesant, rutilant sans être voyant, posé sur sa peau satinée, autour de son cou menu, j'agrémentais discrètement sa toilette. Croyez-moi, un collier de perles suffit pour muer la plus ordinaire des femmes en déesse de la beauté.

— Que des mots ! Pardonnez-moi, chers auditeurs, mais, moi, Marinière, je ne puis laisser dire pareilles bêtises. Collier de perles nous abreuve de contre-vérités ! A-t-on déjà vu une femme déambuler avec un simple collier de perles comme unique apparat ? Autre chose, le jour de la danse, à la fête de fin d'année, Mémoria ne portait pas une longue jupe mais un pagne. Le sabar, ça se danse avec un pagne ! Ton séjour en Europe t'a vraiment brouillé la mémoire. Pourtant, moi aussi j'y étais avec toi, mais je me souviens de tout. Bon, oui, d'accord, d'accord, admettons. Ce n'est pas de ta faute, d'ailleurs je te comprends : on t'a tellement fait *coulisser*, de génération en génération, que ta mémoire s'en est trouvée érodée. Moi aussi, j'ai vieilli, mais j'ai la chance d'être restée en forme. En France,

Mémoria trouvait que je ressemblais à une tenue de carnaval, elle ne me portait plus. J'étais devenue *un souvenir du pays* qu'elle gardait au fond d'une valise. Ce fameux jour du sabar, à Dakar, à la fin de sa seconde, bien avant son départ pour l'Hexagone, c'est moi qu'elle portait avec un pagne de la même étoffe. Elle m'avait achetée au Marché Sandaga. Je n'étais qu'un bout de tissu rectangulaire, sans grande valeur, oublié au fond d'une boutique. Le commerçant me négligeait et je ramassais la poussière à longueur de journée. Pour bien exposer, aux yeux de sa riche clientèle, les coupons qu'il vendait plus cher, il me les jetait dessus, m'écrasait de tout ce poids, sans regret. Un jour, Mémoria est venue. Elle me souleva, m'épousseta, admira mes couleurs et ma souplesse. Pour la danse, ma texture était parfaite. Elle demanda mon prix, le commerçant répondit dédaigneusement, je priais afin qu'elle m'achetât. Imaginez mon soulagement de la voir enfin ouvrir son porte-monnaie. L'après-midi même, elle me fit coudre chez son tailleur, me donnant cette forme qui m'est restée jusqu'à présent. Mémoria me trouvait légère et confortable, surtout en période de chaleur. Clémente, je savais laisser le vent souffler à travers moi et apaiser le corps en sueur de ma maîtresse. Oui, j'ai pâli et n'ai plus trop d'orgueil à défendre : le soleil qui la brûlait ne m'épargnait guère, mais moi, Marinière, je me souviens avoir été belle et appréciée. J'ai été le témoin privilégié de l'entrée de Mémoria dans la danse, de sa phase de séduction innocente, quand, lycéenne, elle allumait les passions sans réellement s'en rendre compte. Après cette danse publique, lors de laquelle je l'avais si merveilleusement habillée, on ne la regarda plus comme une adolescente, mais comme une partenaire potentielle. La fête du lycée sonna l'ouverture du défilé des prétendants au domicile de Mémoria. Ses parents accueillaient courtoisement les soupirants, mettaient leurs relations à contribution afin d'en savoir plus sur eux, faisaient part de leur avis à leur fille, tout en la laissant libre d'écouter les battements de son cœur. Après tout, ils possédaient de quoi l'entretenir pendant autant d'années qu'il lui faudrait pour faire son choix ; ce n'était pas une simple dot qui allait les affoler. Même si les études ne comptaient pas trop à leurs yeux, ils privilégièrent la sérénité de leur fille qui, elle, était très heureuse d'entamer sa première littéraire. Convoitée et adulée, Mémoria conduisait son destin et n'avait aucune raison de précipiter une prise de virage. À mesure que ses jambes s'allongeaient, sa poitrine gagnait en rondeur et ses racines semblaient s'enfoncer de plus belle dans la vaste demeure familiale. Heureuse, la mère qui voit sa fille la dépasser d'une tête : grandis, grandis bien ma fille, sois plus grande que maman et sois plus fertile…

— Oui, bon, et après ? interrogea Masque, pour accélérer le récit de Marinière. Elle a quand même fini par prendre une décision. C'est bien beau de jouer à la marelle dans la demeure paternelle, mais il vaut mieux ne pas y jouer trop longtemps à la demoiselle. Qui étaient ses soupirants ? Qu'en disait-elle ? Qui a-t-elle choisi ? Et puis, à quel moment s'est-elle envolée pour la France ?...

Le président de séance enchaînait les questions, quand soudain, la porte s'entrouvrit. L'homme qui avait installé les assiettes fit une entrée discrète mais néanmoins remarquée. Il se rendit directement à la chambre à coucher. Craignant, peut-être, que leurs conciliabules parviennent aux oreilles humaines, Masque s'adressa à ses camarades :

— Compte tenu de cette visite impromptue, je suspends la séance.

— Mon cher Masque, murmura Coumba Djiguène, je propose que nous continuions. Tout le monde sait que les humains n'entendent que leur propre langage ; ils n'écoutent pas leurs semblables, encore moins les choses, comme ils nous appellent. Regarde, cet individu arrive comme bon lui semble, sans aucune considération pour nous. Rendons-lui son mépris et faisons comme s'il n'était pas là.

— Ma chère Coumba Djiguène, tempéra Masque, la vengeance est certes tentante, mais rendre à l'âne son coup de patte, c'est devenir aussi bête que lui. Laissons cette humeur belliqueuse aux humains.

Au cours de cet échange, on entendit claquer la porte de la chambre à coucher. L'homme vint au salon, arpenta le peu d'espace dans tous les sens, tournoya sur lui-même, puis se recroquevilla dans le canapé où son corps atterrit sans volonté aucune. Il faisait nuit noire, mais il n'avait pas jugé nécessaire d'allumer la lampe. Seul le couloir était éclairé. Les mains au visage, il pleurait à chaudes larmes. Les minutes s'égrenaient, s'alignaient, graphisme invisible d'une éternité de peine. Une heure, puis deux, mais l'espace et le temps n'existaient plus pour l'homme en pleurs, ou plutôt si, en tant qu'armes menaçantes, des lances qui tombaient en piquets sur son corps secoué de spasmes violents. Le cœur tient sagement dans la poitrine, la tristesse, elle, est une mer où tous perdent pied. On ne pleure pas dans une chambre, on pleure dans la vie. D'où vient l'aberration faite à l'humain de devoir digérer des peines plus vastes que son être ? On ne pleure pas, on se noie. Sur le canapé, l'homme semblait inconsolable. Notre besoin de consolation serait-il impossible à rassasier, comme le suppute Stig Dagerman ? Tant de privations, tant de mutilations, tant d'excavations, tous ces trous, toutes ces béances en nous, de quelle satiété remplir les manques ? Rien de présent ne comble les cavités que la vie creuse en nous ! Excavation ! Au cimetière, comme dans le cœur, ça laisse un vide. Excavation ! On a toujours de quoi remplir une tombe. Mais le reste ? Pour le reste, chantepleure ! Le cœur de l'homme sur le canapé comprimait son vide à lui, et l'homme n'y pouvait rien.

— Eh ben ! C'est ce qu'on appelle un gros chagrin, constata Masque. Vous en conviendrez avec moi, il est très difficile de poursuivre notre réunion devant un tel spectacle. L'esprit de chacun étant momentanément occupé à chercher les motifs d'une telle détresse, je n'ai d'autre choix que de suspendre la séance. D'ailleurs, la politesse exige de nous le respect de la douleur d'autrui. Puisque nous ne pouvons le consoler, je demande le silence, par empathie.

L'homme pleura jusqu'au petit matin. Pendant un moment d'accalmie, il scruta longuement le plafond, comme s'il voulait y discerner les lignes de démarcation entre le passé, le présent et l'avenir. À quel moment le gouffre abyssal d'un moment tragique offre-t-il une paroi propice à la lente montée d'une lumineuse espérance ? Aucune réponse ne se dessinait sur le plafond. À la continuité du temps, il croyait avoir échappé par une tristesse définitivement ancrée, toujours actuelle. Au plus profond de lui-même, il savait que son avenir, tel un bras de mer remontant à sa source, le ramènerait souvent à ces instants de mélancolie. Las, il étouffa un dernier hoquet, se leva et se dirigea vers la salle de bains, en traînant les pieds. Sans conviction, il prit une douche, oublia de se raser et remit les mêmes vêtements. Dès qu'il sortit de l'appartement, Canapé se lamenta :

— Oh ! Quel tas d'os celui-là ! Les hommes aiment les canapés bien moelleux, ils devraient savoir que nous aussi nous préférons les fesses dodues aux piqûres de coccyx. Ah ! Il m'a écrasé toute la nuit, en plus, il ne tenait pas en place. J'en suis tout ratatiné ! Mais le pire, c'est qu'à force de chialer il m'a couvert de larmes, de bave et de morve. Pouah ! J'en peux plus des humains. Ils disent tous m'acheter pour le confort, mais en réalité ils se servent de moi pour des choses qu'ils n'avoueraient jamais à leur meilleur ami : soit, pintim-pantam, ils m'écrabouillent, m'étouffent en faisant leurs bizarreries, soit ils viennent déposer sur moi le poids de leurs malheurs. Et vas-y que je te joue le violoncelle du poitrail, un sanglot à t'arracher la glotte. Finalement, je ne fais pas partie des commodités de la conversation, mais de celles de la contorsion et de la convulsion.

Le deuil coupe l'appétit, mais n'ôte de goût ni aux aliments ni aux mots. L'atmosphère se détendit. Chacun y alla de son mot d'esprit sur l'immense fragilité de ce grand mammifère, qui s'est pompeusement autoproclamé *sapiens*, pour inventer les contraires ; cet homo *internitis*, mauvais peintre, focalisé sur sa toile. Pantin aux mains d'un dieu qui ne répond à aucune de ses questions, cet être burlesque n'en est que plus ridicule lorsqu'il se prend au sérieux. S'étant arrogé la subjectivité et le droit de disposer de toute chose, l'Homme voudrait tout maîtriser, jusqu'au lever du jour auquel il impose un horaire, mais s'avère impuissant face aux aléas qui affectent sa petite nature. Pour ces meubles en souffrance, ignorants du péché originel, tous les prêcheurs, de même que Darwin et ses adeptes, ne sont que de prétentieux hâbleurs ; les vrais savants étant la Fontaine et ses disciples, qui disposent des lanternes dans le labyrinthe de l'âme humaine.

II

Un léger vent matinal tordait les rideaux. Flux : des embruns à plein nez, la marée montait, ramenant les pêcheurs nocturnes à terre. L'océan Atlantique léchait les flancs de la presqu'île, gloussait, distribuait généreusement ses caresses doucereuses. Reflux : les lits se vidaient. Les ouvriers étaient déjà au travail, les autres terminaient leur petit déjeuner. Afin de ne pas susciter les ardeurs de leurs supérieurs, de coquettes secrétaires troquaient leurs nuisettes coquines contre des robes griffées *sœur Emmanuelle*. Au pas ! On marche ! Entre volonté et obligation, le labeur, encore et toujours ; puisqu'il faut un sens à chaque jour. La ville, à peine réveillée, se gonfla les poumons d'air frais, reprit ses activités, tentant d'atteindre sa vitesse de croisière, avant que le ciel d'été ne répande les flammes de son chalumeau. En août, sous ces latitudes, tout ce qui se fait de bien se fait le matin. Et l'avenir appartient à ceux qui s'adonnent à la sieste afin de ne pas mourir déshydratés. En

quittant leur cocon douillet pour leur lieu de suda-
tion, certains humains doivent envier l'immobilité
de leurs meubles, à l'ombre.

— Chers amis, bonjour, la séance est ouverte,
déclara Masque. Comme Marinière a été inter-
rompue cette nuit, je lui propose de parler la
première, ce matin. Nous en étions aux soupirants de Mémoria.

— Ah ! me faire parler si tôt ? Même les griots
prennent le temps de se réveiller. D'ailleurs, avec
cette longue coupure, j'ai perdu le fil, j'ai un trou
de mémoire, je ne sais plus qui étaient ses soupirants. En revanche, je pense qu'elle en a écon-
duit plus d'un. Je me souviens seulement qu'un
jour elle m'a lavée, repassée, bien pliée et mise
dans une valise qu'on jeta le lendemain dans la
soute d'un avion en partance pour la France.
J'ignore combien de temps s'était écoulé depuis
la fête du lycée.

— Il s'était passé un peu plus de dix-sept mille
quatre cent quatre-vingt-seize heures, donc un
peu plus de deux ans et vous pouvez me croire,
c'est moi, Montre, qui vous le dis. Mémoria me
gardait toujours à son poignet, depuis ses premiers pas au lycée. Oui, oui, d'accord ! Je reconnais qu'elle en a eu d'autres, des montres, mais
elle les a souvent rangées dans un tiroir pour me
laisser sonner les heures importantes de sa vie.
Elle me portait un soin particulier, car elle m'avait
reçue de son père, le jour où elle alla s'inscrire

pour la première fois au lycée Kennedy. Et puis, vous en conviendrez avec moi, j'ai tout ce qu'il faut pour mériter le privilège de mesurer le temps imparti à la plus belle des perles.

— Hé, tu peux ravaler ton orgueil ! éructa vieux Collier de perles. Aucune perle n'a besoin de tes services. Nous, nous nous moquons bien du temps qui passe. Une fois que nous sommes dans une famille, notre seul souci est d'embellir les toilettes de générations successives de dames. Discrets, nous ne bougeons et ne faisons de bruit que lorsqu'on nous y oblige, pas comme toi, si clinquante, si impatiente, avec cette manie agaçante que tu as de toujours tourner dans le même sens.

— Mais je ne parle pas de toi, vieux Collier usé et grincheux de surcroît ! Ce n'est qu'une image, une façon de parler qui me vient sans doute des humains. J'ai trop été à leur contact pour ne pas hériter de leur esprit de comparaison. Je disais donc que notre défunte maîtresse m'a toujours préférée à toutes ses autres montres. Taillée dans l'or, bracelet noble et utile, je me contentais de graduer, sans retard ni avance, son existence. Muette, j'étais là quand elle suivait ses cours et me regardait à la dérobée, évaluant le temps qu'il lui fallait encore subir le supplice des mathématiques, avant d'aller déguster le succulent thiéboudjène de sa mère. J'ai vu la chrysalide devenir papillon et s'envoler, portant sur ses ailes le kaléidoscope que son passage faisait naître dans le regard des hommes. Oui, j'ai sonné l'heure de sa métamorphose en attrape-cœur, des cœurs qu'elle brisa souvent sans ciller, car sa douceur couvait un solide tempérament. Certaines de ses camarades de lycée n'avaient pas eu le temps d'aller jusqu'en terminale, des corsaires les avaient emportées chauffer leurs couches, au grand dam du proviseur, terrassé par de longs et infructueux entretiens avec des parents conservateurs, pressés d'encaisser une dot. Difficile à marier ou assoiffée de savoir ? Nul ne pouvait le dire. Mais Mémoria poursuivait ses études et en prenait prétexte pour éconduire ses soupirants endimanchés.

— Des noms, on veut des noms ! intima Coumba Djiguène. On n'en connaît que trop, de ces dépitées qui se font passer pour des beautés inaccessibles, alors qu'elles ne pourraient même pas citer le nom de deux prétendants.

— Mémoria n'était pas de celles-là, tu veux des noms, tu en auras, répondit Montre. D'abord, il se présenta un jeune homme qui se faisait appeler Lébou N'doye. Grand, athlétique et souriant, sa politesse, même de circonstance, lui valait la bienveillance des parents de Mémoria. Fils d'une grande famille de marins pêcheurs de la capitale, il perfectionnait sa lecture des humeurs marines au côté de son père, auquel il espérait succéder, le moment venu, à la direction d'une respectable flotte, une dizaine de pirogues motorisées avec leur équipage. On le disait noble et les innombrables biens de sa famille ne pouvaient qu'accréditer son rang. Avec son héritage prometteur, il n'avait nul besoin de la noix de cola, qu'il apportait par kilos, pour retenir l'attention des parents de Mémoria. Ceux-ci voyaient déjà en lui un gendre acceptable. Afin que la convoitée le gardât bien à l'esprit, il venait toujours avec un nouveau cadeau pour elle. Conseillé par son père, polygame rompu à la cour traditionnelle, il trouva une stratégie pour marquer son territoire et freiner les rivaux potentiels : il offrait à la jeune fille des tissus qu'il prenait soin de montrer d'abord à son entourage ; ainsi, si elle les portait, ils seraient identifiés, ce qui ferait aussitôt courir le bruit d'un accord tacite. S'il épousa Mémoria ? Oh doucement, comme vous y allez ! Il ne suffit pas d'apercevoir de belles noix de coco pour s'en régaler, il faut savoir les atteindre. La danse du paon n'arrête pas le regard d'une gazelle. La petite se révéla coriace. Elle empilait les tissus dans son armoire et s'en débarrassait dès que l'occasion se présentait. Elle les distribuait à ses cousines et à ses copines, toutes ravies de faire payer au jeune homme sa prétention. Mais elle n'était pas dupe, elle savait que, parmi celles qui encourageaient son attitude rétive, certaines auraient aimé prendre sa place et épouser celui qu'elles dénigraient. Princesse enviée, Mémoria cédait son festin aux hyènes. Altière, elle trônait au milieu de sa cour et, si elle se refusait à participer à la jactance, elle ne tentait rien pour l'empêcher car, au fond, la générosité de Lébou N'doye l'exaspérait.

— Ah, ces bonnes femmes ! soupira Chasseur. Je n'y comprendrai jamais rien, moi : tu les courtises sans présents, elles te trouvent radin, tu leur en offres, elles te jugent trop démonstratif, ça les exaspère. Et on se demande pourquoi le célibat se développe ? Eh bien, c'est simple : les femmes ne savent plus ce qu'elles veulent, les hommes ne savent plus comment les satisfaire.

— Excuse-moi, Chasseur, mais ce n'est pas aussi simple que tu le crois, intervint Coumba Djiguène. La solitude des temps modernes n'est pas de l'unique responsabilité de la gent féminine. Pendant longtemps on a tenu les femmes pour vénales et intéressées. Maintenant qu'elles s'assument, on voudrait pouvoir les séduire encore par la vilenie qu'on leur reprochait. Si les hommes ne savent plus les courtiser, ils n'ont qu'à s'en prendre à eux-mêmes. Il va falloir trouver d'autres arguments, hors de la poche. Et puis, indépendamment de tout ça, je comprends l'exaspération de Mémoria : rien n'est plus irritant pour une femme que de recevoir des cadeaux d'un homme qu'elle n'aime pas.

— Je suis parfaitement d'accord avec Coumba Djiguène, dit vieux Collier de perles. Le problème, ce n'est pas le fait de donner, mais d'avoir la subtilité de le faire à bon escient, savoir à qui et à quel moment prouver sa générosité.

Moi, Collier de perles, on ne m'a jamais agrafé autour d'un cou qui se rebiffait. Le tact, oui, le tact, le discernement et la patience, voilà ce qu'il fallait à Lébou N'doye.

— De la patience, il n'en manquait pas. Moi, Montre, j'ai compté des heures, désespérément longues au goût de Mémoria, durant lesquelles le pauvre jeune homme espérait un sourire complice qui ne venait jamais. La petite n'avait rien contre lui, mais elle ne pouvait imaginer sa douce peau pétrie pas des mains de pêcheur, écaillées et endurcies d'avoir trop souvent mariné dans la saumure. L'odeur du poisson, en dépit de ses origines insulaires, elle ne la supportait que dans le fumet d'un Thiéboudjène fleurant bon les épices. Elle n'avait aucune envie de compter des sardines et la simple idée d'avoir à découper un espadon lui donnait des nausées. Des baisers à l'huile de foie de morue ? Non, merci, elle ne les disputerait à personne. Lébou N'doye n'avait qu'à aller offrir son cœur lourd à la mouette qui en voudrait. « Merci de t'intéresser à moi, ça me touche beaucoup, mais bon, tu comprends..., je suis désolée », lui avait-t-elle asséné d'une voix monocorde, quand elle en eut assez d'être muselée par les cadeaux. Et l'Apollon des mers disparut des parages. Dès qu'il fut hors du salon, où Mémoria restait cramponnée à sa décision, il confia ses impressions à Mawâss, l'ami qui était venu lui prêter main-forte ce jour-là : « L'école pourrit les filles de chez nous, ces gosses de paysans ne veulent plus que des fonctionnaires. » Dans la cour, la mère de Mémoria, qui épluchait des légumes, fit d'abord l'innocente : « Oh, vous rentrez déjà ? Je vous en prie, restez donc dîner avec nous… » ; mais devant la détresse affichée de l'infortuné, elle s'abrita sous le parapluie de la foi : « Dieu unit les êtres de son choix, il en a décidé autrement pour vous deux, fils, c'est ainsi. » « Ah oui ? ! avait rétorqué Mawâss, il a aussi décidé que certaines mères et leurs filles doivent profiter de la candeur des autres, se laisser couvrir de billets de banque, de cadeaux, par de sincères prétendants avant de les éconduire, sans pitié ? ! » « Oh, mais quel mufle ! s'était égosillée la mère, et ledit prétendant de ma fille vous laisse dire ! S'il est comme vous, ma fille a bien fait de refuser ses avances. Nous n'avons rien demandé à personne, nous ! » Les deux copains s'en allèrent, évitant ainsi d'ébruiter la déconvenue de Lébou N'doye ; les autres filles ne devaient surtout pas apprendre la nouvelle. Au bout de quelques semaines, Mémoria oublia cet épisode, somme toute banal dans la vie d'une jolie jeune fille. Puis, un vendredi après-midi, alors qu'une vague de fidèles, sortis de la grande mosquée El-Hadji Malick Sy, déferlait dans les artères de la ville, un inconnu quitta la foule, bifurqua et vint s'échouer chez Mémoria comme dans une crique. Arrivé à Dakar à l'heure du déjeuner, l'homme, venu du village, avait stagné devant la grande mosquée et attendu qu'un charitable le conduisît, à la fin de la prière, à l'adresse griffonnée sur le papier presque effacé dans la moiteur de sa main. Au seuil de la maison, il croisa Mémoria qui se pressait d'aller à son cours ; étant maintenant en terminale, elle ne badinait plus avec les horaires. Les salutations furent brèves : « Bonjour. » « Bonjour, ça va ? » « Ça va. » *Ça va*, c'était tout ce que l'homme avait retenu de sa lointaine et éphémère scolarité. « Un campagnard, à l'approche de l'hivernage, sans doute un parent du village venu demander de l'aide à mon père », avait pensé Mémoria en s'éclipsant. La lycéenne n'avait pas reconnu son cousin germain, Birame Taniasse, pourtant son fidèle camarade de jeu lorsqu'elle vivait encore au village. Il faut dire que Birame n'avait plus rien du joufflu de ses souvenirs. Son caftan, trop court, était presque vide et, lorsque le vent le soulevait, ses membres semblaient échappés d'une marmite de sorcière. La sécheresse n'avait pas seulement décimé le bétail que lui avait légué son père, elle le consumait de l'intérieur. Ce qu'il lui restait de peau, il le devait aux longues journées de pêche qu'il passait à essayer de noyer la disette. Ce cousin, c'est sûr, n'avait pas traversé la moitié du pays poussé par un simple désir de convoler en justes noces. Il espérait également valider les accords tacites d'une sécurité sociale traditionnelle. Son oncle, qui avait si bien réussi en pleine capitale, ne lui devait-il pas de l'aide ?

— Pfrup, pfrup ! renifla Mouchoir. Ô, pauvre Birame ! J'en ai mal au cœur.

— Un cœurrrrrrrrr, toi ? s'égrena vieux Collier de perles, le seul cœur que tu trimbales n'est qu'une impression, un vulgaire dessin délavé.

— Oui, mais moi, j'en ai un au moins, riposta Mouchoir ; par contre toi, le tien on te l'a ôté pour faire passer une ficelle, voilà pourquoi tu es si dur.

— Chuuuut ! Arrêtez de vous chamailler vous deux, ordonna le président de séance, laissez notre amie Montre en venir au fait. Alors, ce cousin Birame ?

— Eh bien ! On l'accueillit comme la coutume le voulait, avec élégance et générosité. Mais là, je ne vous apprends rien, vous le savez aussi bien que moi : le Sénégal est le pays de la téranga, l'hospitalité. On respecta donc la bienséance. Cependant, Mémoria en eut bientôt assez de cet invité qui avait vite pris ses aises. Mais que faire d'un corps qui réclame de quoi rester en vie, à part le nourrir ? Homme du cru obéissant à sa nature, Birame Taniasse s'empiffrait à longueur de journée. À midi, autour du grand bol commun, il ratissait devant lui en un éclair et ne se gênait pas pour rallonger sa main afin d'aller piocher riz, légumes, poisson ou viande devant les autres qui, pourtant, lui lançaient des regards éloquents. Au frigo, toutes les boissons semblaient destinées à son unique gosier. Véritable gaffeur, on ne comptait plus le nombre de verres et de bibelots fracassés par sa maladresse. Plus grave encore, les fois où Birame se mêlait aux discussions, il enchaînait les révélations gênantes devant les invités, exhumant ainsi les complexes d'anciens campagnards de ses hôtes. Aussi, lorsque, ses carences nutritionnelles comblées, il demanda la main de Mémoria, la réticence fut unanime. La jeune fille n'eut pas besoin de faire comprendre son refus à ses parents qui congédièrent élégamment Birame, en lui promettant de réfléchir à la question. Nanti de quelques billets reçus de son oncle et d'assez de victuailles pour aborder l'hivernage avec sérénité, Birame Taniasse, plein d'espoir, s'en retourna auprès de ses vaches et on ne parla plus de lui que pour pimenter d'hilarantes causeries.

— Comme c'est triste, c'est injuste, pauvre Birame, compatit Mouchoir ; mais au moins notre chère Mémoria a pu continuer tranquillement ses études. Pfrup, pfrup !

— Ah, Mouchoir ! Arrête de renifler si bruyamment, s'énerva le président de séance. C'est injuste, c'est injuste, mais dans la vie des hommes, tout est injuste ! À vouloir faire le bonheur de tous, on sacrifie le sien. Mais à vouloir faire son propre bonheur, on est parfois obligé de sacrifier celui des autres. Le tout est de savoir alterner intelligemment ces dispositions d'esprit, sans culpabiliser. Tout choix est admissible quand la conscience qui en décide est juste. Pour l'instant, Mémoria voulait continuer ses études, et tant pis pour les soupirants arrivés avant l'heure. Il faut avoir le courage de ses choix.

— Oui en effet, elle l'a eu, poursuivit Montre. Elle obtint son bac sans difficultés. Pourtant, elle ne manquait pas d'activités par ailleurs. En marge de ses brillantes études, ses qualités de danseuse étaient maintenant reconnues, car elle était la plus douée de la troupe de Tamara qui se produisait de temps en temps au Théâtre national Daniel Sorano. Émerveillée par son élève, Tamara, plus qu'une professeure, était devenue pour elle une amie, une confidente même. Et croyez-moi, elle en avait bien besoin, notre Mémoria, car c'est à cette époque-là, juste après le bac, que ses problèmes commencèrent. Je crois que notre amie Gros-lolos est plus informée que moi à ce sujet.

— Non mais, quelle impolitesse, je t'interdis de m'appeler encore ainsi ! tonna le buste de femme en bois d'ébène, avec de gros seins et une coiffure traditionnelle. Je suis Coumba Djiguène, la plantureuse Vénus noire, c'est ainsi que m'appelait ma première propriétaire, la mère de Tamara. Après de merveilleuses années en Gambie, je débarquai à Dakar avec Tamara, qui m'offrit par la suite à Mémoria, en souvenir. Mémoria m'appelait Gros-lolos, mais c'était affectueux ; venant d'une minuscule montre comme toi, c'est irrévérencieux. Bon, mes chers amis, maintenant que la morveuse a été mouchée, j'ose espérer que la leçon ne sera pas perdue ; je vous invite donc à me suivre dans le sillage de notre regrettée maîtresse. Je trônais sur une belle petite table dans le salon de Tamara où elle recevait Mémoria, quand celle-ci venait prendre le thé ou lui confier ses tourments. C'est après avoir obtenu son bac, alors qu'elle s'épanouissait comme un œillet de poète, que les bourrasques sont venues perturber son insouciance. En effet, presque toutes ses copines étant déjà mariées ou fiancées, son père trouva qu'il était temps pour lui d'avoir enfin un gendre. Dans sa société, où coiffer Sainte Catherine alimente les pires calomnies, un notable de son rang ne pouvait décemment laisser l'aînée de ses enfants devenir une vieille fille. Il manquait beaucoup de choses dans le pays, mais certainement pas de fils de bonne famille, dignes d'honorer sa ravissante perle…

— Ah, mais vous êtes lassants à la fin avec vos comparaisons, rouspéta vieux Collier de perles. Comme si ce n'était pas déjà assez compliqué d'être soi-même. Je vous le répète, pour la dernière fois, Mémoria n'était pas une perle, elle était celle qu'elle était, elle, un point c'est tout !

— Oh, excuse-moi vieux Collier de perles, je voulais juste dire qu'elle était très belle, belle, comme une… euh… une vraie petite fleur…

— Eh ben, dites donc ! Ce n'est pas mieux, commenta le pot de fleurs, quand on connaît leur destin : toujours coupées au moment où elles pourraient se contenter d'être belles, elles finissent fanées et ignorées par ceux-là mêmes qui les convoitaient. J'espère que notre chère Mémoria ne connut pas pareil sort. Enfin, excuse-moi, Coumba Djiguène, continue. Que disais-tu encore à propos de son père ? Lui a-t-il trouvé un bon parti comme il le souhaitait ?

— Parmi la descendance de ses collègues, amis et alliés, il devait bien y avoir un étalon à hauteur d'attentes. Le pêcheur ne jette son filet au large que lorsque le rivage n'est pas assez poissonneux. Convaincu qu'un gendre moyen de chez soi est toujours mieux qu'un riche gentleman venu d'ailleurs, il chercha d'abord autour de lui, dans son propre clan. Une de ses cousines, médecin à la célèbre clinique Hubert de Dakar, épouse d'un important homme d'affaires, avait un fils, Makhtar, Makhou pour les intimes. À propos de ce neveu, vu en de rares occasions, il était peu renseigné : Makhou, de dix ans l'aîné de Mémoria, était toujours célibataire, disait-on. Le père voulait en savoir plus. Alors qu'il se creusait la tête, le hasard vint à son secours : lors d'un baptême dans la famille, sa cousine lui confia qu'elle désespérait de voir son unique fils marié ; elle craignait même, disait-elle, de ne jamais goûter la joie d'être grand-mère. Appâté par la filiation flatteuse du garçon et heureux de voir sa cousine pressée d'accueillir une belle-fille, le père de Mémoria se flatta d'avoir trouvé le gendre idéal. « C'est la chair de ma chair, dit-il à son épouse pour la convaincre, et puis, avec des parents comme les siens, il a tout pour lui : l'éducation, l'argent, bref, un avenir brillant pour notre fille, nous devons l'inviter et discuter avec ses parents. » Ce fut vite fait. La cousine ne se fit pas prier, les deux familles s'invitèrent mutuellement, à plusieurs reprises, manœuvrant afin de rapprocher les jeunes gens, sans en avoir l'air. Mais le projet leur tenait trop à cœur pour passer inaperçu : la future belle-mère déversait sur Mémoria une pluie de cadeaux qui sentait la franche motivation. Makhou se présenta régulièrement, presque tous les soirs, avec des hommages beaucoup trop spécifiques, trop féminins, pour résulter d'un choix masculin. En dehors des amabilités d'usage, il n'avait jamais grand-chose à dire à ses futurs beaux-parents, encore moins à Mémoria ; son sourire figé et mélancolique lui allait comme un masque taillé par sa mère.

— Voyons, ma chère Coumba Djiguène, rectifia le président de séance, les masques ne sont pas toujours figés et mélancoliques. Comment une adorable créature d'ébène comme toi peut-elle gober ces idées reçues ? Je vous en prie, ma chère, poursuivez, belle comme vous êtes, on ne peut que vous pardonner cette erreur de jugement.

— Allons, Masque, un peu de tenue, nous sommes pressés, dit le pot de fleurs, ce n'est vraiment pas le moment de faire la cour à Coumba

Djiguène, aussi belle soit-elle. Et puis, maintenant que nous allons tous être séparés, ça ne sert plus à rien, il y a bien longtemps que tu aurais pu la séduire.

— Bof, il a tout essayé en vain, maugréa la statue du chasseur. Incorrigible, il vient toujours chasser sur mes terres ; pourtant il sait, comme vous tous ici, que Coumba Djiguène est avec moi, car depuis le début on l'a installée près de moi, sur la petite table à côté de laquelle je suis debout en permanence. Mais perché sur son mur, Masque ne perd jamais l'occasion de la lorgner et je suis hélas au regret de vous avouer que cette sournoise Coumba Djiguène n'est pas insensible à ses avances...

— Avec ta grande sagesse, Chasseur, tu n'ignores quand même pas que les femmes préfèrent les hommes haut placés, ironisa Masque, et le hasard a voulu que ce soit moi, dans cette demeure.

— Erreur ! intervint le luminaire du salon, je suis encore plus haut placé que toi et je brille de mille feux.

— Oui, mais t'es qu'une lampe, une créature féminine, tu n'entres même pas en lice, répondit Masque.

— Mais si, mais si, je suis *un* luminaire !

— Mais laisse donc dire, Luminaire, laisse-les se jalouser inutilement, tempéra vieux Collier de perles, des bouts de bois secs qui se font les yeux doux, on aura tout vu. Allons Coumba Djiguène, puisque le président de séance perd la raison par ta faute, veux-tu nous faire le plaisir de poursuivre ton récit.

— Euh, oui, oui ! Où en étais-je ?

— Au sourire de masque, figé et mélancolique, de Makhou ! cria la statue du chasseur.

— Ah, oui ! C'était, comme je l'ai dit, le fils d'une cousine du père de Mémoria, vous me suivez ? Il se soumettait docilement au cirque organisé autour de lui, mais on ne peut pas dire qu'il y prenait vraiment plaisir. D'ailleurs il ne semblait pas tenir à Mémoria, il était resté avec elle une seule fois en tête-à-tête. Ce jour-là, pour rompre le silence, gêné, il lui avait dit : « J'aime bien ton père, c'est un tonton cool. » Mais détrompez-vous, chers auditeurs, sa réserve ne devait rien à la timidité, son regard de faucon trahissait la détermination d'une force maîtrisée. De son attitude, on pouvait déduire qu'il n'était pas complètement à la merci des événements. Si piège il y avait, il en détenait les clefs. Vu son âge et surtout sa filiation, s'il n'était toujours pas marié, on était en droit de se poser des questions, les mêmes qui occupèrent l'esprit de Mémoria. Intriguée par ce boy Dakar qui ne quittait jamais ses lunettes de soleil et changeait de tenue plus fréquemment qu'une miss, elle analysait le moindre de ses gestes, dès qu'il franchissait le seuil de la maison. Elle n'avait pas encore vraiment interrogé ses propres sentiments à son égard que son père fixa la date des fiançailles et du mariage. Prise de court et peu rassurée par la personnalité de Makhou, Mémoria manifesta son désaccord sans détour. Son père, qui l'aimait et la gâtait, comprendrait, elle en était persuadée, d'autant que les semaines qui suivirent, personne ne revint sur le sujet. Pour l'instant, elle se défoulait à la danse, se réfugiait chez Tamara afin d'échapper aux regards inquisiteurs de ses parents ainsi qu'aux visites routinières de Makhou. Comme sa réaction ne soulevait aucune tempête, elle se remémorait le cas de Lébou N'doye, avec un sourire en coin, et pensait que Makhou aussi passerait bientôt aux oubliettes. Elle profita même de la rentrée universitaire pour s'inscrire en première année de lettres à l'UCAD (Université Cheikh Anta Diop de Dakar). Dès les premiers cours, elle vint, comme à l'accoutumée, trouver son père avec une liste kilométrique de fournitures. « Mais tu n'as pas besoin de tout ça pour te marier et faire des enfants », s'entendit-elle répondre. Elle s'affaissa sur l'accoudoir d'un vieux fauteuil en osier, le trône préféré de son père, qui se brisa sous le choc. Son vis-à-vis ne fit rien pour la rattraper. Les deux mains appuyées au sol, elle se releva au ralenti, la bouche ouverte sur un *papa* qui n'eut pas de suite. Le père, qui n'avait même pas daigné la regarder, lança en quittant le salon : « Je ne peux pas continuer à entretenir une fille qui me désobéit. J'ai donné ma parole, je ne vais pas changer d'avis. De quoi aurais-je l'air devant ma cousine ? Et le Tout-Dakar qui te voit vieillir dans ma demeure, comme une fille de basse caste, impossible à marier ? Ou tu te maries ou tu quittes ma maison ! Et puis tu as tort de réagir de la sorte : nourri d'un sein propre et d'une lignée paternelle qui n'a rien à se reprocher, ce petit Makhou est un gars éduqué, posé et correct ; je l'aime bien. » Mémoria n'avait jamais cru son père capable d'une telle intransigeance. Ahurie, elle s'époumona : « Tu l'aimes bien ? ! Et moi ? ! Vous avez pensé à moi, tous les deux ? ! Lui aussi il t'aime bien, c'est la seule chose que je sais de lui ! Eh bien, puisque vous vous aimez tant, mariez-vous ! » Furieux, son père déclara : « On verra qui commande ici, fini les enfantillages, vendredi prochain j'organise tes fiançailles, ton mariage religieux sera célébré à la mosquée et dès le lendemain tu rejoindras ton mari ; ma propre fille ne va pas me ridiculiser devant le Tout-Dakar. » Mémoria claqua la porte et courut se réfugier chez Tamara, sa confidente. Après une longue discussion, elle rentra chez elle, tard le soir, et se glissa discrètement dans sa chambre. La perspective de devoir se prendre elle-même en charge l'avait effrayée, elle devait réfléchir avant de prendre la décision de s'en aller ou pas du domicile familial. Il est vrai que Makhou avait un petit quelque chose qui suscitait sa curiosité. Elle ne savait quoi dans la démarche, dans l'œil, dans le demi-sourire de cet homme la remplissait d'une douloureuse tendresse, dès qu'elle se trouvait face à lui. Au bout de quelques jours, l'attrait de l'inconnu, la peur de l'avenir, de la solitude réservée aux filles insoumises et la supplique permanente de sa mère eurent raison de sa rébellion. Comme toutes celles qui, avant elle, avaient juré préférer le pire sort à un Cupidon imposé, Mémoria convola en justes noces.

— N'est-ce pas ce que je vous disais, ahana Chasseur, les femmes, elles acceptent en refusant, refusent en acceptant, elles se prennent les pieds dans leurs contradictions. Elles sont...

— Elles sont saisies dans la même nasse que tous, le contint Masque. Entre vouloir et pouvoir, entre penser et tenter, entre prétendre et oser, entre risquer et gagner, rares sont les humains qui bravent les courants jusqu'à la rive ensoleillée des aspirations accomplies. Chacun fait ce qu'il peut.

— Mais quand même, s'acharna Chasseur, tant de *non* et si peu de résistance. Les femmes sont vraiment douées pour les changements de stratégie. Pourquoi annoncer la guerre quand on n'ose pas la mener ?

III

Chasseur n'eut pas le temps de développer sa mauvaise foi machiste. Masque, le président de séance, avait brutalement suspendu les débats, et ce n'était guère pour brider le mal-pensant : leur visiteur habituel venait encore de faire son intrusion et entrebâillait déjà une fenêtre. Le souffle tiède de l'été s'engouffra dans l'appartement, accompagné de fréquents coups de klaxon. L'homme resta un moment accoudé à la fenêtre, sans doute pour s'informer de la raison d'une telle irritation de la part des automobilistes. Le muezzin appelait à la prière de la mi-journée. Des fidèles de tous âges se ruaient vers la grande mosquée et traversaient la chaussée, sans tenir compte des feux rouges. Le soleil de plomb, qui accélérait leur marche, avait disposé des chapeaux et des calottes de maille serrée sur la plupart des têtes. Plus l'heure de la prière se rapprochait, plus les voitures avaient du mal à traverser le centre-ville. Ça bouchonnait devant la porte de Dieu. « Avec les doléances longtemps insatisfaites ou sans cesse renouvelées qu'ils ont à lui soumettre, certains croyants ne renoncent à aucun de leurs cinq rendez-vous quotidiens » se dit l'homme, en refermant la fenêtre. Il en avait assez du bruit et du poids de son cœur, que rien ni personne ne semblaient pouvoir décharger. Où dépose-t-on la fatigue de vivre ? Sur un lit moelleux ou sur un tapis de prière ?

L'homme se déchaussa, s'introduisit dans la salle de bains, s'empara d'une bouilloire et fit machinalement ses ablutions, comme on se souvient de son premier tour de vélo. Dans la chambre à coucher, il prit un chapelet qui ne servait, jusqu'alors, que de décoration kitsch. Dans le couloir, il s'arrêta devant le miroir, observa sa tenue. Il n'avait jamais aimé les caftans ; surtout, il voulait que son seigneur l'identifiât tel qu'en lui-même, indépendamment de tout jugement extérieur. Si Dieu est tel qu'on le dit, miséricordieux et impartial avec ses enfants, il doit tous les écouter et n'a que faire de leur look, puisqu'il les a créés sans apparat. Convaincu par cette pensée, il claqua la porte derrière lui. Habillé d'un jean moulant et d'une chemise non moins collante, qui s'ouvrait sur un pendentif – un petit cœur traversé d'une flèche, sur lequel on lisait Mémoria –, il se rendit à la mosquée, pour la première fois de sa vie.

— Je crois que Chasseur voulait faire une remarque, dit le président de séance.

— Oui, ce qu'on vient d'apprendre à propos du mariage de Mémoria confirme bien ce que je disais tantôt : les femmes, elles refusent ce qu'elles désirent et acceptent ce qu'elles refusent. Allez donc comprendre ! Au départ, Mémoria ne voulait pas de ce Makhou, mais elle l'a épousé. Pourquoi ? Parce qu'elle a eu peur de s'assumer ! Je ne vois aucune autre raison. À partir du moment où son père l'a menacée d'expulsion, elle a entrevu le spectre de la misère ; elle a donc cédé, choisissant le compromis au détriment de sa liberté.

— Voyons, Chasseur, il s'agit de retracer la vie de Mémoria et non de la critiquer, le rabroua le président de séance.

— Ah, oui ! mais il s'agit aussi de la comprendre, se rebiffa Chasseur. *Je veux ma liberté, je veux ma liberté*, et ça mange au premier râtelier à portée de main. Quand on s'enchaîne au premier arbre par goût de l'ombre, on ne goûte jamais aux fruits qui mûrissent en forêt.

—*Liberté, liberté*, mot suave dans toutes les gorges. Facile à revendiquer, difficile à acquérir, telle est la liberté, rebondit doctement Masque. Renoncement, douleur et lutte sont les lianes tressées qui mènent à la liberté. Il faut oser se balancer, sans attaches, pour y parvenir. Celui qui a peur du vide se cramponne à l'arbre des regrets. Liberté, ce n'est pas une liesse facile, c'est une liane folle, qui peut vous porter ou vous laisser choir. Dans l'incertitude, nombreux sont ceux qui préfèrent une rassurante médiocrité. Mémoria n'a pas eu seulement peur du vide, on l'avait couvée, protégée ; ce faisant, on l'avait arrimée, à son insu, au port de l'obéissance intéressée. *Tu fais ce que je te dis, tu as ce que tu veux*, voilà ce qui la gardait dans les rangs, comme beaucoup de ses semblables.

— Pourtant, en France, elle travaillait, attesta une paire de chaussures, je l'ai portée à différents endroits où elle gagnait sa vie.

— Oui, parce qu'elle y était bien obligée, enchaîna vieux Collier de perles, mais c'était bien plus tard. Après le mariage, elle rejoignit son époux qui habitait encore chez ses parents, dans une grande maison familiale où on mit un bel appartement à leur disposition. Sans efforts notoires, Makhou menait grand train, il était pour ainsi dire entretenu par ses parents. Sous l'injonction de son père, qui souhaitait qu'il lui succédât dans ses affaires d'import-export, Makhou était allé en France, quelques années plus tôt, poursuivre, sans réel enthousiasme, des études dans une grande école de commerce. Depuis son retour, il exerçait vaguement au côté de son père, allait parfois rencontrer des négociants en Gambie, mais, la plupart du temps, il préférait s'improviser guide touristique. En réalité, en dehors de ses régulières escapades gambiennes, il sortait peu de Dakar. Quand il ne fréquentait pas les hôtels de luxe avec des touristes européens, il s'affichait dans les fêtes réunissant la jeunesse branchée de la capitale. Grâce à l'accueil très chaleureux de sa belle-mère, Mémoria fut sur le point de donner raison à son père. Choyée par toute sa belle-famille et par son propre père qui récompensait ainsi son obéissance, elle ne tarda pas à effacer sa moue de révoltée. Seulement, une ombre épaisse persistait au tableau : comme un bijou dans son écrin, Mémoria restait intacte dans sa belle chambre nuptiale.

— Attends, vieux Collier de perles, sois plus explicite, n'adopte pas ton style de vieille huître desséchée pour évoquer ce chapitre sur la sexualité de Mémoria. N'en fais pas une Bénédictine en minijupe ! Nous savons tous qu'elle n'avait rien d'une nonne. Laisse-moi donc raconter cette partie de l'histoire, elle me concerne directement, moi, Bëthio. Je suis le petit pagne coquin que les Sénégalaises portent le soir, avant de rejoindre leur époux impatient. Avec deux petits cordons pour me nouer à la taille des belles, je m'arrête au-dessus des genoux et mes lamelles se croisent à peine, pour faciliter à l'amant l'accès de son trésor. Des pagnes, je suis le plus discret, mais ne voyez là aucun défaut de mon apparence. Un vulgaire bout de tissu se mue en œuvre d'art, dès qu'une amoureuse le baptise *bëthio*. Habiles de leurs mains et expertes en imageries aphrodisiaques, les douces me couvrent de broderies érotiques. M'exposer au regard du soleil équivaudrait à s'attirer les foudres de la lune. Inventé pour la plus ardente des intimités,

je suis le tableau chargé d'exprimer au specta-
teur privilégié ce que ma porteuse attend de lui
en feignant la gêne. La nuit, quand, le souffle
court, la femme comblée compte les étoiles de
son plafond, bercée par le murmure confus d'un
homme qui soudain lui confie son trop-plein
d'amour, je recueille le ruisseau que les terres
imbibées n'arrivent plus à garder. Fille moderne,
Mémoria avait reçu de ses anciennes copines de
classe des nuisettes européennes en guise de
cadeaux de mariage, mais sa mère, se souvenant
d'un geste de sa propre mère, avait tenu à lui
confectionner un très beau bëthio. Avant d'apprécier cette étonnante attention maternelle, la
jeune fille fut d'abord choquée et presque déçue.
Aussi bizarre que cela puisse paraître, Mémoria,
à son âge, n'avait jamais imaginé sa mère en
train de faire l'amour. D'où tenait-elle ces ima-
ges ? Aucune allusion sexuelle ne trouvait place
dans leurs conversations. Comment, elle, une
femme si pure, pouvait-elle broder ces scènes
pornographiques si explicites sur un bëthio, et
de surcroît oser le présenter sans ciller à sa propre fille ? Où se logeait la perversité en cette
sainte femme qu'elle appelait *maman* depuis
tant d'années ? Il fallut une longue argumenta-
tion sociologique de Tamara pour convaincre
Mémoria de m'accepter, moi Bëthio, comme
étant le plus sensé des présents que sa mère pouvait lui offrir : en l'accueillant ainsi dans le monde
des adultes, elle lui accordait la permission de

couper le cordon ombilical et de devenir son égale : elle l'adoubait en quelque sorte en la parant pour l'autel des délices. *De l'amour tu es née, ma fille, de l'amour tu donneras.* C'est ainsi que, discrètement, Mémoria m'emporta avec elle au domicile conjugal. Mais pendant longtemps on me priva du plaisir de remplir mon rôle. En effet, Makhou, son époux, semblait indifférent à sa présence ; comme lorsqu'il venait lui rendre visite chez ses parents, il lui manifestait une froide courtoisie. Longtemps après le mariage, il n'avait toujours pas honoré celle que beaucoup d'autres lui enviaient. Le lendemain de la nuit de noces, l'envoyée qui devait porter le grand pagne de virginité à la famille de Mémoria se présenta dès l'aube. Déçue, elle rentra les mains vides et rassura la mère de la jeune fille : « De nos jours, c'est plutôt bon signe, ta fille est sans doute effarouchée, et comme elle a épousé un garçon bien élevé, il évite de la brusquer. J'y retournerai demain. » Cette diplomate des frou-frous maculés répéta sa politesse plusieurs matins d'affilée. Au bout d'une semaine, elle décida les mères des mariés à conclure un accord de cir-constance : le soir venant, une malheureuse poule avala ses derniers grains de mil avant de rejoindre son poulailler, sans se douter qu'elle allait être immolée à l'aube pour maculer le pagne de virginité de Mémoria. Le lendemain, la messagère, ostensiblement émue, annonça la bonne nouvelle aux femmes du quartier. La fête fut à la hauteur de l'événement, puisqu'un bœuf bien gras y laissa sa tête, sous les roulements de tambours. Le père de Mémoria pointa ses babouches vers la mosquée avec plus d'assurance, la mère se tint bien droite sur le chemin du Marché, où elle croisait toujours une griote prête à lui déclamer un arbre généalogique magnifié, jusqu'à ce qu'elle l'étouffe de billets de banque. Pourtant, personne n'était dupe ; tout le monde, ici, sait que même Madame Claude pourrait, bien entourée, coiffer la couronne de Sainte-Nitouche. Dans cette société où l'honneur s'abrite au mont de Vénus, qu'une belle joue au Yo-Yo avec son string, et c'est la pyramide de la morale qui s'écroule. Si le cas de Mémoria, avec ses noces blanches, était exceptionnel, des effrontées qui avaient déjà laissé passer des oléoducs entre leurs cuisses ne se privaient pas des honneurs dus aux pures hôtesses du Paradis. Mémoria était quant à elle vexée par l'utilisation d'un tel stratagème. Le comportement de Makhou, qui restait peu à la maison et rentrait tard la nuit, acheva de mettre son moral en miettes. Son mariage lui parut couvert de tares. Mais lorsqu'elle profita d'une visite de sa mère pour lui faire part de son désarroi, celle-ci, plus préoccupée par le qu'en dira-t-on que par le bonheur de sa fille, l'écouta distraitement avant de la submerger de conseils stoïques : « Les nouvelles marmites sont plus difficiles à récurer, lui dit-elle, on a tendance à vouloir leur enlever toute tache, mais plus elles vieillissent moins on en remarque les aspérités. Sache, ma petite fille, que le bois mouillé n'empêche jamais la bonne ménagère de tisonner son feu et de servir un plat chaud. » Autrement dit, Mémoria devait patienter et se donner les moyens de susciter le désir de son homme. Après quelques jours de méditation, la timide se métamorphosa en séductrice de haut vol. Résolue à faire fondre la carapace de son énigmatique époux, elle se donna vraiment du mal, vous pouvez me croire.

— En effet, Bëthio dit vrai, je puis en témoigner, si Masque m'autorise à prendre la parole et si Bëthio veut bien me laisser poursuivre. D'accord ? Très aimable à vous, merci. Je suis *Dialdiali*, eh oui, je sais que la plupart d'entre vous ignorent mon existence. Normal. Je suis une ceinture de perles, portée en dessous ou au-dessus du Bëthio, lui-même toujours caché par un grand pagne. Vous ne me connaissez pas..., pourtant des chansons sont inventées en mon honneur : [*Dialdiali ! Reule ! Autoba dagueuna taliba ! Dialdiali ! Reule ! Benne kôgne la guiss, té ya ko yôr ! Reule ! Diade la beugue, sa yône bangui ! Reule ! Autobi dagueuna talibi. Dialdiali ! Reule ! Fô dialou ma diâre fa ! Dialdiali ! Reule, autoba dagueuna taliba.* Ce qui veut dire : Dialdiali ! Reule ! La voiture a coupé la route ! Dialdiali ! Reule ! Je ne vois qu'une route, c'est la tienne ! Reule ! Je veux bifurquer, ta route est là ! Reule ! La voiture a bifurqué. Dialdiali !

Reule ! Où tu t'entasses, je bifurque ! Dialdiali !
Reule ! La voiture a bifurqué ! Dialdiali ! Reule !]
Je suis le chapelet du désir que l'amant égrène,
en comptant les incomparables charmes de sa
dulcinée, jusqu'au paroxysme du plaisir. Mon
doux cliquetis berce et rythme la cadence des
Vénus déchaînées. Les baisers déposés contre moi
sont plus nombreux que ces perles qui garnissent
ma circonférence. Car, imprégnée de l'essence
suave des plantes les plus nobles, si délicatement parfumée, j'attire, inspire et enflamme le
plus froid des amants. Voyez-vous, le jour où
la mère donna le fameux conseil à sa fille, elle
n'était pas venue les mains vides. En partant,
elle avait glissé une bouteille de thiouraye, un
encens savamment préparé, sur le rebord de la
table de chevet de la jeune mariée. Mémoria la
regarda de biais, sans y toucher. Elle ne se doutait pas que je marinais dedans. En début de soirée, elle prit le bocal entre ses mains, le contempla
un instant, se murmura quelque chose et esquissa
un sourire. Ne me demandez pas la cause de cette
réaction, je l'ignore. J'ai ouï dire que ces humains
s'extasient devant les volcans, larmoient face aux
couchers de soleil, chantent pour les vagues et
murmurent des formules magiques aux rivières,
pas étonnant qu'une des leurs puisse tenir des
conciliabules avec une bouteille d'encens. Elle
l'ouvrit, plongea sa main dedans, me sortit et me
renifla, toujours en souriant. Un moment, je
crus que c'était la surprise de me trouver là qui

prolongeait sa gaieté, mais elle me posa négligemment sur le rebord de son lit, referma la bouteille, lui chuchota comme des petits mots doux et s'absenta quelques minutes. Elle revint avec un petit vase de terre cuite où rougeoyaient quelques braises, y jeta une pincée d'encens avant de le poser tout près du lit. Assise, la tête entre les mains, les yeux fermés, elle humait les volutes dans un recueillement quasi religieux. Elle m'ignorait. Alors, je glissai du lit et m'entassai par terre, j'étais jalouse de ce maudit bocal qui captait toute son attention. Qu'est-ce que ça pouvait bien représenter pour elle ?

— Je crois le savoir, intervint Montre, c'était sa madeleine de Proust.

— Madeleine de quoi ? fit l'assistance.

— Sa madeleine de Proust, martela Montre.

— D'où sort-elle, celle-là ? grogna Canapé, je ne connais personne de ce nom dans l'entourage de Mémoria. Jamais entendu non plus une ville ou un village appelé Proust, où elle se serait rendue.

— Ah, mais écoutez donc ! C'est une expression, je l'ai entendue au lycée, de la bouche même du professeur de français, quand Mémoria me portait en cours. Disons que l'effluence de l'encens réveillait quelque chose en elle, comme l'odeur du petit gâteau, que les humains appellent *madeleine*, rappelait à Proust ses lointains souvenirs d'enfance. C'est ça, la réminiscence, un petit truc insignifiant et hop, voilà les humains qui plongent dans leur passé. En fait, leur mémoire est comme un pull mal tricoté, il suffit d'accrocher un petit bout pour voir toutes les mailles se défaire les unes après les autres, et les voilà remontant à l'envers le fil de leur vie. Si vous voulez, je peux vous raconter à quoi l'odeur de l'encens faisait songer Mémoria.

— Frup, frup, franchement, avec tous ces virages verbaux, nous n'allons pas terminer de tout reconstituer avant le Kétala.

— Chut ! Mouchoir, fit le président de séance, laisse Montre continuer, on aimerait en savoir plus sur cette histoire bizarre.

— Moi, Montre, je puis vous dire que cette senteur donnait à Mémoria l'envie de plier ses bagages, de retourner en vitesse au domicile parental, car c'était dans cette direction que la fumée conduisait sa mémoire. Ces arômes distillaient la douceur de son enfance. Lorsqu'elle veillait, blottie contre sa mère, elle priait pour retarder l'heure où celle-ci s'en irait chercher dans la cuisine des braises avec lesquelles brûler de l'encens, car l'instant où les volutes s'échappaient de la chambre de sa mère, remplissant toute la demeure d'effluves sucrés, signalait le coucher de la maisonnée et mettait provisoirement fin aux câlins maternels. Petite, elle en arrivait à détester son père, surtout le soir, se demandant pourquoi lui avait le droit de dormir avec sa maman dans la chambre encensée et pas elle. En grandissant, elle avait fini par comprendre que ces herbes choisies avec minutie, longuement macérées dans un mélange de parfums rares, ne brûlaient pas seulement pour agrémenter l'air ambiant. L'encens était un langage en soi et, mieux qu'une horloge suisse, il sonnait une heure toute particulière : celle du carré blanc où Dialdiali et Bëthio conjuguent leurs talents afin de ralentir la course de la lune.

— Mouais, sauf que Dialdiali et moi, Bëthio, comptâmes des lunes, sans utilité aucune chez notre maîtresse. Jeune mariée, Mémoria aurait pu transformer ses journées entières en carré blanc, mais Makhou n'était pas pressé de le lui dessiner. Il persistait dans ses sorties nocturnes, rentrait tard et trouvait sa pauvre épouse, amorphe, tassée au fond du lit, terrassée par le sommeil ou le désespoir. Il se glissait doucement sous les couvertures, sans se dévêtir. D'ailleurs leur lit, offert par la mère de Makhou, semblait conçu pour bercer des noces blanches, un lit jumeau, aussi vaste qu'une arène, qui aurait dû se prêter aux douces luttes ; mais il n'en était rien : ils y dormaient sans se frôler, séparés par la froideur de Makhou, un mur aussi résistant que les remparts de Varsovie. Ce que je ne comprends pas, c'est pourquoi Mémoria l'attendait toujours dans cette chambre silencieuse. Nous autres, objets, restons toujours là où on nous dépose, c'est dans notre nature de durer dans l'immobilité, mais elle, avec ses deux jambes, une vraie gazelle, pourquoi ne partait-elle pas, elle aussi, se promener, changer d'air, que sais-je moi, aller voir des amies, Tamara par exemple ?

— Figurez-vous que c'est ce qu'elle finit par faire, affirma Marinière. C'est moi qui l'habillais ce soir-là. Vous vous souvenez ? Elle m'avait fait coudre lors de cette fameuse danse de fin d'année, au lycée. Comme elle ne m'utilisait pas souvent, j'étais encore correcte comme tenue de sortie, bien après son mariage. Grâce à la constance de sa taille, je lui allais encore très bien. Mais ce soir-là, je ne sais si Mémoria me portait par nostalgie de ses années de lycée ou à cause de la chaleur, car il faisait vraiment très chaud. C'était l'atmosphère étouffante des débuts d'hivernage. Mémoria ne tenait plus en place. Après le dîner, elle sortit une chaise pliante, s'installa sous sa véranda, où sa belle-mère vint lui tenir compagnie pendant un moment. Il était tard la nuit lorsque la visiteuse, lassée par l'attente de son fils et la mutité de sa belle-fille, regagna son appartement. Soudain, le vide se fit insupportable pour Mémoria. Car si son cœur n'était pas à la causerie, elle n'avait jamais eu autant besoin d'une présence humaine. Une musique, une main sur son épaule, des doigts sur le piano de son cœur, des notes rassurantes, des mots d'ami(e) à défaut de mots d'amour, une voix, une simple voix, il lui fallait un souffle humain afin de ne pas rendre le sien. La détresse sentimentale est un incendie invisible, si rien n'est fait, elle vous consume de l'intérieur. Vite ! Un pompier du moral ! Tamara ! Oui, seule Tamara savait juguler les crises d'angoisse de Mémoria. Elle n'irait pas se coucher avant de lui avoir parlé. Malgré l'heure avancée, elle se précipita dans la rue, héla un taxi et s'y engouffra ; elle avait besoin d'une oreille amicale pour partager ses interrogations, ce poids qui lui comprimait la cage thoracique. C'était un samedi, le taxi quitta la rue Carnot et fendit la nuit, non sans précaution. En effet, sortis du cinéma ABC, des essaims de piétons, les yeux encore pleins du film qu'ils venaient de voir, irritaient les automobilistes par leur nonchalance. Certains prolongeaient leurs commentaires, en s'offrant une dernière glace sur la Place de l'Indépendance. D'autres déferlaient dans la rue William-Ponty, où ils allaient prendre un ultime verre sur les terrasses déjà pleines des cafés. Au bout de la rue William Ponty, le taxi prit la corniche ouest, bifurqua et se dirigea vers la Médina, le quartier populaire où Tamara habitait, non loin de son école de danse. Alors que le chauffeur rapportait une discussion tenue le matin même avec un client important et déblatérait sur les hypothétiques conséquences de la dévaluation du franc CFA annoncée par le FMI, Mémoria ressassait ses difficultés de couple et rassemblait ses idées, afin de bien exposer la situation à son amie. La perspective de cette confidence, la consolation qu'elle en espérait firent naître un sourire sur ses lèvres. D'abord silencieuse, puis s'imaginant sans doute d'éventuelles réponses taquines de la part de Tamara, elle pouffa de rire. Prenant ce mouvement involontaire pour une réponse à son monologue, le taximan rouspéta poliment : « Mais enfin, ma petite dame, vous trouvez ça drôle ? Croyez-moi, cette future dévaluation n'a rien d'amusant pour nous, les humbles, c'est même inquiétant. Dieu seul sait de quoi notre avenir sera fait mais, franchement, les grands de ce monde jouent avec notre destin. Vous avez peut-être le bras long, vous ? Il n'y a que les gens très aisés qui pourront tenir le choc, mais nous autres, ça ne nous fait pas rire du tout... » « C'est la prochaine rue à droite, l'interrompit Mémoria, voilà, nous y sommes. » Elle lui glissa un billet et n'attendit même pas sa monnaie. Le chauffeur avait encore le regard fixé sur elle, quand elle poussa le portail de la maison de Tamara. Sur le perron, elle frappa, puis attendit un moment. Le taxi s'éloigna et disparut dans la nuit. Elle jeta un coup d'œil vers la rue déserte et sentit sa gorge se serrer. Et si Tamara était absente ? Elle frappa frénétiquement et tendit l'oreille. Ne percevant aucun signe en retour, elle martela de toute sa nervosité, de manière ininterrompue. Soudain, la porte s'entrebâilla, la maîtresse des lieux apparut, en robe de chambre. Soulagée, Mémoria s'écria : « Ah, Tamara, te voilà ! Il faut que je te parle. » Bouche bée, Tamara écarquillait les yeux, inerte, comme au sortir d'un cauchemar. Cette soirée-là, *sa soirée*, elle l'avait voulue privée, intime et tranquille. La violence et la persistance des coups l'avaient poussée à commettre l'imprudence. Elle avait ouvert, par agacement, prête à éconduire l'importun. Mais comment chasser une amie ? Ah, si seulement on pouvait remonter jusqu'à l'instant de décision, ajourner l'exécution des gestes malencontreux ! devait-elle certainement regretter. Face à cette mouche tombée dans sa soupe, la stupéfaction perlait en fines gouttelettes sur son visage. « Alors, on dirait que t'as vu le djinn de Sangomar, je peux entrer ? Je sais qu'il est tard, mais je suis venue te parler », se justifia Mémoria, en s'engouffrant dans le salon. Tamara, en automate, referma la porte ; puis, les yeux dardant Mémoria, elle recula en répétant : « Ce n'est pas ma faute, je voulais tout te dire, ce n'est pas ma faute, je ne savais pas comment t'expliquer… » Puis elle s'enfuit en pleurant. « M'expliquer quoi ? Je ne comprends pas. De quoi parles-tu ? », interrogea Mémoria, en la suivant dans sa chambre. Et là, en un coup d'œil, elle comprit : Makhou, encore nu, ramassait ses vêtements à la hâte. « Je vais t'expliquer, ce n'est pas ce que tu crois, Mémoria, je vais t'expliquer », répétait-il. Mémoria sortit en courant. Lancée au milieu de la chaussée, elle cavalait en direction de chez elle. Un crissement de pneus la fit se retourner. « Ça va, ma sœur ? » s'enquit l'homme au volant, en posant un pied à terre. Sans calculer le moindre de ses gestes, elle fonça sur la voiture stoppée à ses trousses, tira la portière et monta en haletant. « Vous êtes poursuivie par des malfaiteurs, j'imagine », dit le conducteur en démarrant. Puis, lui ayant laissé le temps de reprendre son souffle, il poursuivit : « Il est minuit passé, ce n'est pas prudent pour une femme seule ; ma sœur, je vous dépose où ? » Mémoria pleurait au fond de son lit, lorsqu'une heure plus tard Makhou, qui avait eu du mal à trouver un taxi, entra dans la chambre à pas de velours. « Ce n'est pas ce que tu crois… », murmura-t-il, en la prenant dans ses bras pour la première fois. Mais elle se débattit et alla se recroqueviller à l'autre extrémité du lit, en sanglotant. « S'il te plaît, laisse-moi t'expliquer, supplia Makhou, en essayant de se rapprocher d'elle,… ça me fait mal de te voir dans cet état. Tiens, bois un verre d'eau et écoute-moi, ce ne sera pas facile, mais je vais te dire toute la vérité sur ce malentendu. » Mémoria écarta le verre d'eau d'un revers de la main et resta prostrée. « Viens, chut, fit Makhou, en la serrant d'autorité dans ses bras, je t'en prie, arrête de pleurer, écoute-moi, je ne t'ai pas trompée, c'est plus compliqué que ça. Calme-toi, s'il te plaît, chut », dit-il, en l'embrassant tendrement sur le front. Mémoria se rebiffa encore, mais avec moins de conviction. Plus que la contrition de Makhou, c'était la douceur avec laquelle il la cajolait qui bientôt la désarma et fit taire ses sanglots. Comme dans un rêve, elle s'abandonna dans ses bras, pendant qu'il lui caressait le cou en déversant un souffle tiède dans son oreille. Sa voix, son murmure, la moiteur de ses lèvres qui la frôlaient et son regard perdu anéantissaient sa capacité de révolte. Les bourreaux ne coupent pas que des têtes, ils savent également couper des roses.

— Mais que lui a-t-il expliqué ? s'impatienta Masque, le président de séance.

— Puisque Marinière se perd en circonlocutions, je vais vous le dire, clama vieux Collier de perles. J'étais ce soir-là au cou de Mémoria ; le souffle saccadé de Makhou m'effleurait ; phrase après phrase, j'ai tout entendu. Il était vraiment sincère, lorsqu'il lui susurrait : « Je n'ai jamais voulu te faire du mal, Mémoria, tu peux me croire. Même si je ne t'ai jamais touchée, je t'aime beaucoup : tu es belle, intelligente et si douce. Tu es mon idéal féminin, je veux dire, si j'étais une femme, j'aurais aimé être ta réplique exacte. Jamais je n'ai voulu te faire souffrir, mais tu es la malheureuse victime d'une situation qui nous dépasse tous les deux. D'abord, sache que je ne t'ai pas trompée, enfin, pas comme tu le crois. En dehors de toi, je n'ai jamais fréquenté la gent féminine. Et tu sais ce qu'il en est de notre « couple », enfin, si je puis m'exprimer ainsi, puisqu'il n'y a pas d'autre mot pour désigner notre relation. En réalité, les femmes ne m'attirent pas, sinon, je ne vois pas comment j'aurais pu résister à une fille aussi magnifique que toi. Et tu te trompes également au sujet de Tamara. » Mémoria bondit et fit face à son interlocuteur. « Ma prof de danse tant admirée ! Tamara ! Ma prétendue amie, ma confidente de surcroît, dans une robe de chambre avec mon mari, à poil, dans son lit ! Ah oui, ça, c'est moi qui me suis lourdement trompée ! Comment ai-je pu faire confiance à cette satanée bonne femme ? En réalité, je ne sais rien d'elle, à part que c'est la créature la plus hypocrite qu'il m'ait été donné de rencontrer ! Tout le monde la trouvait spéciale et moi, idiote que j'ai été, je n'ai rien compris à son jeu et… » Et Mémoria recommença à sangloter. Makhou la serra contre lui et murmura : « Chut, s'il te plaît, calme-toi, surtout n'aie pas de mauvaises pensées au sujet de Tamara, elle t'aime beaucoup. Je vais t'expliquer, mais d'abord, calme-toi, je souffre de te voir comme ça. » Mémoria, voyant des larmes couler sur les joues de Makhou, se radoucit et se laissa de nouveau emporter par ses caresses fébriles.

— Il est vrai que nous ne savons pas grand-chose à propos de Tamara, remarqua Masque. Notre aimable Coumba Djiguène, qui trônait dans son salon, accepterait-elle de nous renseigner à son sujet ?

La pétulante statue de femme pivota sur elle-même, pointa ses seins lourds vers le sol, prête à saisir la question au vol. Puis, surprise par le souffle qui lui balaya le visage, elle se tut.

Quelqu'un traversait l'appartement d'une pièce à l'autre et ouvrait tout ce qui pouvait l'être. Essoufflé, transpirant à grosses gouttes, l'homme s'affala sur le canapé, la chemise déboutonnée, le torse offert au vent bienfaiteur qui soulevait les rideaux. Quelques minutes plus tard, il dormait comme ceux qui ont longtemps veillé.

— La séance est suspendue, chuchota Masque. Comme vous le voyez, notre visiteur a besoin de calme.

— C'est toujours le même qui vient nous interrompre, se froissa Mouchoir. Enfin Masque ! Ce gars est un prince ou quoi ? Tu nous as ordonné de ne pas le déranger quand il pleurait, maintenant qu'il dort comme une souche, il ne faut pas non plus piper mot. Mais c'est qui, à la fin ?

— Quelqu'un que tu dois respecter. Allons, cesse tes jérémiades. Avec ta courte vie de mouchoir, tu n'es pas assez vieux pour savoir qui est qui. Seule ta patience t'instruira. Toute bienséance observée, j'insiste, je vous demande, à tous, le silence le plus complet. Cet homme a besoin de repos.

IV

L'homme prolongeait sa sieste. Pendant que son ronflement semblait suivre la cadence des rideaux, une lumière orangée découpait son profil émacié dans le voile crépusculaire. L'ombre, peu à peu, gagnait les lieux, estompant les contours des objets. On n'entendait plus que sa respiration, lorsqu'on frappa à la porte. Il grogna et sursauta en hurlant : « Mémoria ! Mémoria, c'est toi ? Viens ! » Mais il lui suffit d'un regard pour réaliser qu'il émergeait d'un rêve. Debout, il se frotta les yeux en chancelant, quand des coups retentirent encore à la porte : « C'est moi, c'est Tamara », dit une voix chaleureuse. L'homme s'étira, chaussa ses baskets et quitta l'appartement, sans en refermer les fenêtres.

— Voilà, ma chère Coumba Djiguène, vous étiez justement sur le point de nous parler de Tamara. Allez-y.

— Bien sûr ! Bien sûr ! Maintenant qu'il y a prescription, il n'est pas illicite de révéler certaines choses, en dépit du respect que m'inspirait Tamara et qui me condamna au silence pendant de si longues années. En vérité, pour schématiser, l'être humain est comme une pièce de monnaie, avec ses deux côtés, pile et face, jamais d'égale splendeur. Tamara n'échappait guère à cette règle. Tout Dakar connaissait et appréciait son côté face : une remarquable chorégraphe, des plus réputées de la capitale sénégalaise. Une grande dame, au propre comme au figuré. Grande et svelte, elle faisait pâlir les plus belles dryankés, auxquelles elle n'hésitait pas à prodiguer des conseils sur leur apparence et leurs relations aux hommes. Elle les aidait quand il le fallait, car elle était la bonne copine de toutes. Des amies, elle en avait par dizaines. Elle était, pour ainsi dire, l'aimant autour duquel s'agglutinaient ses voisines de quartier. Sa vivacité la plaçait en tête de toutes sortes d'organisations. Elle présidait l'association des femmes, assurant la bonne suivie des tontines. Sa bonne humeur faisait d'elle le pitre, mais le pitre considéré, de toutes les cérémonies. Elle était la seule à pouvoir réclamer vertement leurs cotisations aux retardataires, à se permettre de tancer celles qui se comportaient mal dans le groupe. Sensible au plaisir des mots, elle lançait parfois les blagues les plus osées. Ainsi, lorsque ses copines se plaignaient de leurs hommes, trop souvent absents, toujours en vadrouille avec les copains, Tamara lançait en riant : « Les mains qui retroussent les jupes, dégrafent les soutiens-gorge, savent également ouvrir les braguettes ! Mes chères amies, certaines, parmi vous, ont peut-être épousé des homosexuels bien masqués ! Ne me dites plus qu'il n'y en a pas au Sénégal, je ne vous crois pas. Certes, on ne croise pas Oscar Wilde en personne dans nos rues, mais ses adeptes sont là, bien cachés. Où ? Mais sous vos jupes, mesdames ! » Après cette amicale estocade, tout le monde éclatait de rire. « Tamara déborde d'imagination », disait chacune, sûre de l'hétérosexualité de son macho. Puis, l'une d'elles taquinait Tamara, en lui répétant la même riposte : « Les hommes préfèrent les belles bien pétulantes, comme nous, leurs semblables ne risquent pas de nous remplacer dans leurs bras ! Mange, afin de grossir un peu, et trouve-toi un bon mari au lieu de raconter des bêtises sur les nôtres ! » Et l'on s'esclaffait de plus belle. Ce qui unissait toutes ces femmes, au-delà de leur goût immodéré pour la fête et de leur amitié inconditionnelle pour Tamara, c'était la perplexité qu'elles partageaient à son sujet. De son passé, elles ne savaient rien. En dehors des occasions qui les rassemblaient, aucune ne pouvait se targuer de connaître un bout de son intimité. D'ailleurs, personne n'avait l'outrecuidance de l'interroger sur sa famille et ses origines, depuis qu'elle avait jeté sa repartie, tel un bâillon, à la figure de Sowâne, la plus effrontée du groupe, qui avait osé s'approcher de trop près : « Tu es la seule, ici, qui ne dit jamais rien de sa vie. Ton histoire fermente dans ton ventre, ça finira bien par sentir, un de ces jours. » La touche porta net mais, sans se départir de son sang-froid et de son sourire légendaire, Tamara avait immédiatement dégainé : « Tu veux mon CV, mon extrait de naissance ou ma première couche-culotte ? Soit, mais d'abord, dis-moi avec quoi tu te laves la bouche pour qu'elle sente si mauvais ? » Les femmes se jetèrent des regards malicieux et la réunion continua, comme si de rien n'était. Si Tamara les fascinait par son élégance et sa liberté – elle travaillait, jouissait d'une autonomie financière, vivait seule, nulle autorité ne bornait son existence –, les lignes de son corps, malgré ses seins bien ronds, suscitaient d'innombrables questions et non des moindres : « Pourquoi est-elle si musclée ? La danse, peut-être, mais à ce point-là ? Quand même ! Et son visage, ses mâchoires carrées ? Ses épaules, si larges ? L'étroitesse de ses hanches ? Elle est pourtant si féminine, avec ses belles coiffures, ses beaux bijoux, son maquillage toujours impeccable. Mais quand même ! Cette allure androgyne ? Et si c'était un homme ? » se demandait-on, dès qu'elle avait le dos tourné.

— Bon, accouche, Gros-lolos, l'heure tourne, s'impatienta Montre. Je ne sais quelles diaboliques fables tu t'apprêtes à nous conter. Mais arrête de te prendre pour Barbey d'Aurevilly ; certes, il distillait la vie de ses personnages comme de la mirabelle, mais c'est lui-même qui affirmait que *l'attente exaspère le désir*. Alors, aie pitié de nos nerfs, nous t'écoutons.

— Et toi, Montre, arrête de m'appeler Groslolos ! Dis-moi, ça t'écorcherait la bouche de prononcer Coumba Djiguène ? Au fait, ce Bar... Barbe-de-ville...

— Barbey d'Aurevilly ! rectifia Montre.

— Oui, qui est-ce ?

— Un romancier français du XIXᵉ siècle, un dandy aussi, mais oui, j'en suis certaine, je l'ai entendu de la bouche du professeur de français, j'étais alors en cours, au poignet de Mémoria. Le professeur s'excitait tout seul en lisant *Les Diaboliques* et, dès que ses élèves s'en rendaient compte, sa langue devenait un rideau cramoisi qui battait le vent pour chasser le trouble naissant. Sa diction académique retrouvée, il toisait les garçons, afin de calmer leur agitation, neutralisait l'imagination des Lolita d'un sourire distant et embarquait tout le monde dans la diligence de son verbe, pour les mener à la découverte de sables moins mouvants, le siècle et la vie de Barbey d'Aurevilly.

— Bon, ça va, Montre, épargne-nous ton escapade littéraire et laisse-moi continuer.

— Je te signale que je répondais à ta question, il faut toujours que je fasse l'encyclopédie ici. N'est-ce pas, chère Coumba Djiguène ?

— Voyons, Montre, pas de familiarités, épargne-moi ton affection simulée.

— Dites-nous, ma chère Coumba Djiguène, intervint Masque, cette Tamara, était-ce en réalité une femme ou un… ?

— Un homme, c'était bien un homme, de naissance en tout cas. Ben oui, je le précise, de nos jours il ne suffit pas d'être né homme pour vivre en tant que tel. Oui, ça se choisit, une sexualité, ce n'est plus une fatalité ! Évidemment qu'on peut choisir. Tamara l'a bien fait, elle, ou plutôt lui. Mais oui, lui, puisqu'il était d'abord un garçon. Si vous me laissez poursuivre, je vous dirai comment. Bon, je disais donc qu'il était né homme, en Gambie ; oui, en Gambie, il n'est venu au Sénégal que bien plus tard, déjà adulte. Dernier d'une famille de sept enfants, on l'avait prénommé Tamsir. Avant lui, son père, militaire de carrière, désespérait d'avoir un enfant mâle. D'une ancienne lignée de griots, mais ayant acquis la respectabilité dans l'armée, l'officier, qui n'avait pu marier ses six filles hors de sa caste, attendait de son fils qu'il le secondât dans la fondation d'une nouvelle légende familiale, où les siens ne seraient plus considérés comme de simples courtisans mais admirés en tant que guerriers des temps modernes, ennoblis par leur courage, leurs grades militaires. Sa déception fut immense lorsque Tamsir, adolescent, délaissa ses études à Gambia High School pour suivre une troupe de musiciens qui célébrait mariages et baptêmes à travers le pays. Oh non ! Ce n'était pas simplement l'orientation artistique de Tamsir qui navrait son père ; si ce n'était que ça, celui-ci aurait fini par décolérer, car son propre frère, batteur professionnel de tam-tam, revendiquait ouvertement son héritage de griot. Ce qui chagrinait l'officier par-dessus tout, c'était de voir son unique fils, de plus en plus efféminé, fréquentant des garçons de mauvaise réputation. Refusant d'admettre son homosexualité, il le fit interner dans un hôpital militaire où, de guerre lasse, le psychologue s'avoua incapable d'extirper le diable supposé l'habiter. Un soir, l'officier ramena son fils au bercail, décidé à le tenir à l'écart de ses semblables, le temps de lui trouver un traitement de choc. Mais, arrivé chez lui, une idée illumina son visage : l'armée recrutait, lui-même dirigeait l'opération dans son camp. La solution se présenta donc d'elle-même : « Crois-moi, fiston, lui dit-il, méprisant, tu ne seras pas un castrat mais un Castro, je ferai de toi un vrai soldat, bien viril, tu verras. » Antimilitariste, Tamsir protesta, sa mère vola à son secours et tenta de raisonner son mari : « Non, pas l'armée, pas mon fils, mon unique fils. Je m'inquiète déjà assez pour toi, un militaire dans la famille, ça suffit. Et puis, tu le sais, Tamsir est trop fragile, il ne supporterait pas un tel métier. » « Tais-toi ! hurla l'officier en giflant sa femme. Tu l'as trop couvé, ce bon à rien. Bien sûr qu'il est trop fragile et c'est de ta faute ! Tu en as fait ta mascotte, ta peluche en soie. Tu l'as rendu précieux, comme mie de pain par temps de disette ! Mais tu peux compter sur moi, je vais te l'endurcir ! Bientôt, il aura une baguette bien cuite entre les jambes ! J'en ferai un homme ! » Le lendemain, il présenta son fils aux sous-officiers recruteurs : « Voilà les papiers de cette femmelette, faites-en un homme ! Ne lui accordez aucune permission, sauf ordre de ma part. » Et les dés furent jetés. La réputation de Tamsir l'avait devancé : pour tous, il était *gordji-guène*, c'est-à-dire, littéralement, homme-femme. Dès que son père se fut éloigné, les langues se délièrent : « Alors, Mademoiselle, s'entendit-il interpeller, tu viens égayer nos nuits ? Sois douce et tu seras bien traitée. Il paraît que ta petite maman venait souvent te chanter une berceuse à l'hôpital psychiatrique. T'en fais pas, ici, j'en connais beaucoup qui seront ravis de te chuchoter des mots doux. Ha ha ha ! »

— Frup, fruuup ! Oh le... euh... la... euh... pauvre Tamsir ! renifla Mouchoir, ils avaient pitié de lui.

— Mouchoir ! t'as vraiment une intelligence de chiffon, toi ! éructa Montre, tu ne comprends rien à l'ironie !

— L'ire honnie ? Lire au nid ? Ou lire Hony ?

— Bon sang, qu'est-ce que t'es bête, compte pas sur moi pour te réciter le dictionnaire, écoute la suite si tu veux comprendre.

— Alors, Coumba Djiguène, fit Mouchoir, tout confus, y avait-il quelqu'un parmi les militaires pour consoler Tamsir ou lui lire des choses au nid ?

— Mais non, bien au contraire. Au dortoir des nouvelles recrues, on le raillait sans cesse. Certains soirs, les jeunes soldats en faisaient la victime expiatoire des humiliations qu'ils subissaient à longueur de journée de la part de leurs supérieurs. Mais ces brimades étaient tendres à côté de ce que Tamsir appellera plus tard ses nuits infernales. En effet, très souvent, lorsque le dortoir était enfin plongé dans les ténèbres, quand on n'entendait plus que le souffle régulier des dormeurs, la porte s'ouvrait comme par magie ; des pas discrets dépassaient tous les lits et s'arrêtaient devant le sien. Des mains viriles l'immobilisaient, une autre le bâillonnait, pendant qu'un malabar s'occupait de son postérieur. Ses trois assaillants ne partaient qu'après l'avoir tous possédé. Plusieurs fois, ses voisins de chambrée, réveillés par ses gémissements, avaient appuyé sur l'interrupteur et reconnu les trois gradés en pleine orgie. Affolés, les curieux éteignaient la lumière plus vite qu'il ne fallait pour y penser. Discipline militaire oblige, ils restèrent aussi muets que Tamsir et le manège perdura sans heurts. Pervers sadiques, libres de jouir de leur domination ou homosexuels honteux, cachés derrière l'image hypervirile de l'armée, les trois sous-officiers savaient qu'ils avaient plus à craindre d'une attaque d'extraterrestres que d'un éventuel soulèvement des bleus. En outre, Tamsir ne pouvait compter sur la solidarité de ses collègues : ces machos nourrissaient une haine farouche des homosexuels et considéraient les sévices qu'il endurait comme un châtiment mérité. Son seul espoir de salut, il ne l'entrevoyait que dans une hypothétique désertion. Et l'occasion lui en fut donnée dans une circonstance bien malheureuse. Après quelques mois de calvaire, confiné au camp militaire, son père ordonna qu'on lui accordât une permission pour raison majeure : sa mère venait de mourir d'un paludisme foudroyant, il devait se rendre à l'enterrement. Après les obsèques, nul ne le revit, ni au camp ni au domicile familial. Ayant retrouvé ses relations d'avant l'armée, Tamsir menait une vie nocturne, fréquentait les quartiers obscurs de Banjul, hantait les hôtels où sa maîtrise de la langue anglaise lui facilitait le contact avec les touristes. Sous les tropiques, où trouver un partenaire gay semble aussi ardu que décrocher la lune, nombreux étaient les étrangers, blancs ou noirs, heureux de rencontrer, en toute discrétion, ce jeune homme imberbe qui ne leur demandait que le prix de leur désir. À la même époque, Makhou posait ses premiers pas dans le monde des affaires. Mandaté par son père, il partait rencontrer des négociants gambiens à Banjul. Comme les homosexuels français qui se rendaient à Mykonos, Makhou, l'irréprochable golden boy dakarois, profitait de ses séjours dans les hôtels cossus de la capitale gambienne pour se mettre en accord avec ses sens. Après les âpres négociations de la journée, qu'il menait de main de maître, sa distraction, unique et obsessionnelle, occupait toutes ses soirées : bien sapé, les poches pleines, il allait dans les endroits chauds, où des homos hyper musclés exhibaient des biceps virils qui leurraient la maréchaussée. Évitant de se faire accoster par les mastodontes, dont il exécrait l'allure robotique, il repérait de préférence un jeune mâle moins rude, quasi efféminé, lui jetait son regard perçant, tel un harpon et, d'un accord tacite, il se laissait suivre jusqu'à l'hôtel Carlton. C'est au cours d'une de ces virées qu'il succomba aux charmes de Tamsir. Plus que l'harmonie de ses courbes, sa silhouette féline, c'était la lueur tragique qui surnageait dans les yeux de ce garçon qui lui transperça le cœur. Tamsir était son cadet de peu, mais quelque chose en lui semblait fragile et impossible à rassurer. Makhou ignorait les fissures creusées dans l'âme de ce jeune homme, mais il lui avait suffi d'une nuit avec lui pour se sentir prêt à les combler de son amour. Petite enclave nichée entre les régions sénégalaises du Sine Saloum et de la Casamance, la Gambie n'était plus seulement cette miette de terre rouge amputée au pays de Senghor, mais la planète bénie, hors de la portée des Vénus convenues, où Makhou levait ses inhibitions, exhalait ses phéromones euphorisantes à l'intention de son aimé, toujours prompt à lui faire perdre pied en un battement de cils. Désormais, il n'allait plus à Banjul en voyage d'affaires, il y allait pour Tamsir. Fidèles l'un à l'autre, malgré les incartades commerciales de Tamsir, qui dissociait aisément la chair du sentiment, ils étaient toujours heureux de se retrouver. En ces moments-là, ils dédiaient tout leur être à la sensualité et, perdus l'un dans les bras de l'autre, résolus à combattre le sentiment diffus de leur culpabilité, ils sublimaient leurs angoisses pour peindre leur part de ciel en rose. Il fallait que la vie soit belle, en dépit du regard noir et des pas écrasants des censeurs, qu'ils devinaient postés derrière les murs de l'hôtel Carlton.

— Oui, bon, s'impatienta Montre, et combien de temps durèrent ces retrouvailles clandestines ?

— Oh, clandestines, clandestines, comme tu y vas, toi, s'indigna Coumba Djiguène, disons plutôt discrètes, c'est plus juste.

— Mais enfin, clandestines ou discrètes, tu peux me dire la différence ?

— La nuance, ma chère, la nuance, tout est dans la nuance ! Tu devrais le savoir, toi qui nous parlais tantôt de Babe, Barbe euh, Barbey de..., de je ne sais même pas quoi, moi.

— Je vous en prie, ma chère Coumba Djiguène, l'amadoua Masque, dites-nous, comment s'est terminée la romance gambienne de Tamsir et Makhou ?

— Tout semblait ne jamais devoir changer, je veux dire qu'ils avaient pris leurs marques dans leur relation et inscrit leurs habitudes sur le parchemin de l'insouciance. Vous savez à quel point les humains ont vite fait de développer un sentiment de pérennité dans les situations comme dans les choses qui leur plaisent. Tenez, par exemple, nous autres, les statues, lorsqu'ils nous gardent dans leur famille, nous faisant passer d'une génération à l'autre, ce n'est que pour perpétuer ce sentiment d'éternité. Sentiment que Makhou et Tamsir souhaitaient prolonger, tant leur complicité touchait à la perfection. Leurs fréquents rendez-vous à l'hôtel Carlton n'avaient jamais éveillé les soupçons. Variant leurs horaires, ils rentraient et sortaient séparément de l'hôtel, s'offrant même le luxe de discuter avec les gardiens qui maudissaient, devant eux, les touristes homosexuels ainsi que les autochtones qui les fréquentaient. Tromper la vigilance des policiers était devenu leur jeu favori. Ensemble, au milieu de leur lit, ils riaient à gorge déployée de la naïveté de ces pauvres agents de la morale. En vérité, leur quiétude, ils ne la devaient pas seulement à leur maîtrise du jeu de cache-cache, c'étaient les autres, avec leurs préjugés caricaturaux, qui ne voulaient pas les voir. Voilà pourquoi je refuse de qualifier leurs retrouvailles de clandestines. Chaque fois que la société nie une part d'elle-même, elle baisse le rideau de fer de l'hypocrisie devant ses propres yeux. D'une certaine manière, ceux qui condamnaient les amours de Makhou et Tamsir leur avaient tissé le confortable hamac dans lequel ils berçaient tranquillement leur romance, une romance atypique, certes, mais douce, joyeuse, émouvante, innocente...

— D'accord, d'accord, on l'aura compris, ma chère Coumba Djiguène, un amour rare, ponctua Masque. Un amour sincère, qui s'affirme et s'affermit en dépit des obstacles. En somme, un amour qui vous nourrit et se nourrit de lui-même. Bref, un amour comme chacun voudrait en vivre. Hélas, la vie étant chose instable, une fois le hamac bien suspendu, il n'y a plus rien à espérer en dehors de sa chute.

— Eh oui, cette insouciance ne pouvait durer éternellement, leur relation aurait d'ailleurs fini par perdre de son goût. D'après Colette, l'absence de malheur rend triste ; enfin, c'est une citation que Montre nous sert à chaque fois que quelque chose va mal. En l'occurrence, le coup d'État qui fit vaciller la nation gambienne, dans les années quatre-vingt, bouleversa la vie de nos deux tourtereaux. Ils étaient à l'hôtel Carlton, où ils s'enivraient de bonheur, lorsque les programmes télévisés furent interrompus. Ils en étaient encore à leur étonnement lorsque le crépitement des armes à feu répandit des cris de terreur dans les rues de Banjul. Grâce au petit poste de Makhou, ils captèrent les informations d'une radio étrangère. Au petit matin, ils étaient fixés sur la nature de l'événement. La curiosité du jeune Tamsir le poussait hors de l'hôtel, mais la sagesse de Makhou réussit un moment à le retenir. « Ton père est officier : ou il fait partie des putschistes ou il les combat. Dans les deux cas, tu ne peux rien pour lui », lui lança-t-il, navré, car il ignorait encore la vraie nature des sentiments que Tamsir portait à son père. « Mais qui te dit que je pars aider ce salaud ? Sache qu'il m'avait livré aux sévices de ses subordonnés… J'espère seulement qu'il ne sortira pas vivant de ce putsch ! Ce ne serait que justice ! » « Mais alors, pourquoi veux-tu aller risquer ta vie dehors ? Je te rappelle que tu as déserté, insista Makhou, les militaires sont partout dans la ville, imagine une seconde qu'ils te reconnaissent. Nous devons trouver une solution pour quitter ce pays. D'après les infos de la radio anglaise, des militaires sénégalais devraient venir à la rescousse pour évacuer les civils. J'ai un ancien camarade de classe qui est militaire au camp de Kaolack, le camp sénégalais le plus proche d'ici, son régiment devrait être le premier à débarquer. Ils vont nous tirer de là. Sinon, si le calme revient un peu, nous pourrons essayer d'atteindre le débarcadère et prendre une pirogue pour les îles sénégalaises voisines. Nous partirons d'ici dès que possible. » « Je ne m'en irai pas avant d'avoir effectué un tour chez moi, dans la maison de mes parents », avait déclaré Tamsir, en claquant la porte derrière lui. La ville n'était plus qu'avenues vidées par la fureur et ruelles grouillantes de fuyards, quand, évitant la porte d'entrée, il fit le mur de la maison par-derrière, défonça la fenêtre du salon et s'y engouffra. Il n'avait pas vu la Jeep stationnée de l'autre côté. Sur une table basse, il saisit l'objet de son déplacement : la statue préférée de sa défunte mère, qu'il voulait garder en souvenir. Au moment où il s'apprêtait à ressortir par là où il était entré, une voix claironna dans son dos : « Ainsi, ma ronde est justifiée, mais je ne me doutais pas que le pilleur serait le fruit malheureux de ma ceinture ! Femmelette ! Déserteur ! Pose immédiatement cette statue, sinon il va falloir me montrer que tu es un homme ! » Tamsir, sur le qui-vive, la statue entre les mains, se tenait dos au mur, la fenêtre restait grande ouverte, mais il ne voulait pas quitter son père des yeux. Hargneux, celui-ci avança d'un pas assuré et, tel un lutteur traditionnel, se jeta sur lui, le ceintura pour tenter de le terrasser. Poussant un cri d'horreur, Tamsir lui assena un violent coup sur la tête, avec la lourde statue ; son père s'écroula ; mais le garçon, mû par une fureur indescriptible, s'acharna jusqu'à ce que la statue gluante de sang lui échappât des mains. Il la ramassa, jeta un regard dégoûté sur sa victime et sauta par la fenêtre. Dans le couloir, un pas lourd se dirigeait vers le salon, une voix dubitative interrogeait : « Mon capitaine ? Ça va ? Mon capitaine ? » Tamsir retourna à l'hôtel Carlton, sans encombre. Figurez-vous que la statue en question, c'était moi, moi, Coumba Djiguène, que vous voyez là ! Je suis la seule chose que Tamsir ait gardée de sa mère. Garçon, enfin à l'époque, que pouvait-il faire de ses vêtements ? Et puis, dans sa fuite, le mobilier était impossible à transporter.

— Oui, on a compris, il ne pouvait emporter qu'un objet peu encombrant, mais tu n'es pas aussi légère que ça, tu es quand même coupable de meurtre, fit Montre.

— Ah, tout de suite les grands mots ! Moi, une meurtrière ? Pourquoi ne pas m'accuser aussi du coup d'État, pendant qu'on y est ? En dehors de quelques égratignures sur la main qui m'a séparée de mon tronc, je n'ai jamais fait de mal à personne.

— Mais non, Montre, intervint Masque, une statue qui fracasse un crâne n'est pas plus coupable que les bombes qui dévastèrent Hiroshima et Nagasaki. C'est à la main de l'homme, à l'humain lui-même de répondre de l'usage qu'il fait des fruits de son cerveau.

— Ben, ils ont peut-être fait des statues pour tuer, risqua Montre.

— Que les masques et les statues aient été créés pour assommer ou embellir, nous n'en saurons rien. Il importe cependant de reconnaître que les humains ont d'abord taillé la pierre pour dépecer les animaux avant de polir le marbre et d'en décorer leurs demeures. Allons, ma chère Coumba Djiguène, tu as certainement servi malgré toi la fureur des Hommes, mais laissons de côté cette histoire de parricide, raconte-nous la suite des événements pour nos deux amoureux.

— D'accord, Masque. Donc, à l'hôtel, Makhou avait vainement tenté de contacter son ami militaire, le téléphone ne fonctionnait plus. Mais il savait que les habitants des îles du Saloum venaient souvent, avec leurs pirogues, se ravitailler à Banjul. Il fallait se rendre au débarcadère. Afin d'améliorer leurs chances de traverser la ville sans éveiller de soupçons, ils se firent passer pour un couple avec enfant : Tamsir, comme très souvent, s'était habillé en femme et me dorlotait dans ses bras ; oui, moi, la statue, le buste de femme qu'il avait emmailloté dans une grande serviette, tel un nouveau-né. Au wharf de Banjul, on les accueillit avec sollicitude. Tamsir me berçait en murmurant le nom que m'avait donné sa mère : « Coumba Djiguène, ma chérie, ne t'inquiète pas, ça va aller, mon bébé... » Un laptot lui offrit même une bouteille de lait pour *le pauvre bébé*. Puis, en prévision de la houle du large, on l'installa précautionneusement, avec son bébé et l'heureux papa, sous une bâche. Ce fut donc tassés l'un contre l'autre par le mal de mer que nous rejoignîmes l'île de Niodior, dans une embarcation surchargée de fuyards. Là-bas, Makhou, qui disposait de l'argent fraîchement encaissé auprès de ses clients gambiens, n'eut aucune peine à convaincre un piroguier de les amener à Djifere, où attendaient les taxis-brousse qui devaient partir pour Dakar le lendemain. Pressé d'arriver au bout de ses péripéties, il en loua un. Mais la hâte n'était pas la seule explication de ce comportement de petit-bourgeois prompt à tout se payer. Makhou voulait éviter la curiosité des éventuels passagers de la matinée et, surtout, profiter de ce long trajet nocturne pour discuter avec son aimé de l'attitude à adopter une fois à Dakar. Tamsir entendait s'offrir une renaissance à la capitale sénégalaise, devenir un parfait *gordjiguène* : puisque son travestissement ne le trahissait pas, il le garderait en permanence. Il décida donc de continuer à vivre en tant que femme et de mettre ses talents de danseur à profit en ouvrant une école. La danse africaine usant peu du grand écart, les petits pas, les tours de hanche, il pourrait les exécuter, sans exposer ce qu'il avait entre les jambes. Et puis, sa grâce naturelle mettrait du génie dans ses pas de danse, ses futures élèves n'auraient donc aucune peine à suivre ses indications. En quelques jours, Makhou lui trouva un appartement grâce à un ami agent immobilier. On ne sait quels rouages se mirent en branle mais, en peu de mois, une belle dame, d'une élégance rare, qui disait se prénommer Tamara, ouvrit une école de danse qui connut rapidement le succès. Mais son ballet le mieux orchestré était bien son doux tango avec Makhou, qui perdurait discrètement. Nul n'en entendait la musique, encore moins les légers petits pas qui se glissaient nuitamment dans les alcôves. Des années passèrent après les événements. Banjul, Bassé, Bansang, tout comme Soma et Sérékunda avaient retrouvé leur calme, depuis que les militaires sénégalais avaient bouté Kukoï Samba Sagna et ses hommes hors du territoire gambien, mais Makhou, arguant d'une conjoncture difficile, n'avait pas repris ses voyages d'affaires. Pendant que le Tout-Dakar s'étonnait de son célibat prolongé, il savourait en silence le bonheur d'être accompagné et considérait la nuit comme le meilleur moment de ses jours. Sans la ténacité de sa mère, il aurait passé le reste de son existence ainsi. Mémoria, le mariage, le poulet saigné pour colorer le faux pagne de virginité, cette chambre douillette, soigneusement agencée par sa mère et qui n'abritait nuls ébats, sont autant de grumeaux dans sa farine tendre, un sacrifice sur l'autel de la société, un vilain simulacre qui devait fatalement révéler les limites de son efficacité. Depuis son mariage, Makhou attendait le prétexte qui lui permettrait de divorcer aussi facilement qu'il s'était marié.

— Exactement, renchérit Marinière, et c'est ce qu'il fit comprendre à son épouse le soir où elle le surprit chez Tamsir... euh, Tamara.

— Et alors ? interrogea vieux Collier de perles. Moi, je n'ai pas pu entendre tout ce qu'ils se disaient. Furieuse, Mémoria m'avait brutalement arraché de son cou et jeté dans une boîte à bijoux qu'elle referma aussitôt. Mais j'imagine qu'elle savait enfin à quoi s'en tenir. Quant à Makhou, malgré son malaise, il se réjouissait peut-être en son for intérieur de cette occasion de recouvrer sa liberté, car il devait être plus facile à son épouse de l'étriper que de partager encore son lit. Mais étaient-ils assez courageux pour tirer, tous les deux, la conclusion qui s'imposait ?

V

Août s'éclatait les poumons. Un souffle tiède
dilatait les narines et ne soulageait personne.
Les vendeurs de glaces s'étaient usé les semelles
au profit de leurs employeurs et, en dehors de
leur épuisement, ils n'avaient plus rien à proposer aux passants assoiffés. Étourdis par la chaleur, les citadins ne pensaient plus à leur facture
d'eau et souhaitaient la pluie plus encore que
les cultivateurs. La brise, elle, finissait toujours
par arriver, mais cette malicieuse abandonnait
sa douceur au large pour débouler, ardente et
bruyante, sur les terres. Les fenêtres claquaient.
L'homme qui les avait ouvertes n'était pas revenu
les fermer. On ne distinguait plus rien dans
l'appartement, la nuit était maintenant complète.
Le vent soufflait de plus belle. « Ferme tes fenêtres ! » cria une voix féminine. L'ordre resta
sans suite, les battants cognèrent encore le mur
pendant un bon bout de temps. « Tu es resté
couché, inactif, toute la journée ! Tu n'as pas
goûté le déjeuner, tu n'es pas venu non plus

quand je t'ai appelé pour le dîner. Quand vas-tu sortir de ta léthargie ? » De longues minutes s'écoulèrent ; puis, une main délicate rabattit les volets des fenêtres et les bloqua de l'extérieur. On n'entendait plus que le lointain grondement urbain et le bruissement du feuillage des arbres alentour. Il y avait aussi quelques coups de klaxon, trop habituels pour perturber l'assemblée immobile dans les ténèbres de l'appartement.

— Si j'ai bien compris, Makhou était démasqué et Mémoria avait un sursaut d'orgueil. À l'évidence, ils ne pouvaient que divorcer ! lança Mouchoir.

— Eh bien non, soupira Bëthio, le petit pagne coquin. Figurez-vous seulement la complexité des humains et de leurs sentiments : ils cessent d'aimer ce qu'ils ont ardemment désiré dès l'instant que ça leur tombe dans les bras et commencent à se passionner pour ce qui ne les intéressait guère, à partir du moment où ils le sentent échapper. En somme, ils aiment moins les êtres et les choses que la victoire sur l'inaccessible. Par vanité, ils méprisent l'acquis et s'épuisent à vouloir contrôler le fuyant.

— Fortôtotote ! Vieux Collier de perles coulissa de tout son long, avant d'affirmer d'un air dubitatif : à Dakar, ornant le cou de notre chère maîtresse dans toutes sortes de circonstances, j'ai fait rues et ruelles, entendu quantité de choses sur les humains, mais pas celles-là. Puisque tu n'es plus à une contradiction près, tu veux insinuer que Mémoria tenait à son homme parce qu'il ne lui prêtait aucune attention ou que ce dernier, pris en flagrant délit d'adultère, voyant celle qu'il dédaignait sur le point de décamper, serait subitement transi d'amour pour elle ?

— Les deux ! C'est exactement ça, assura Bëthio, en se froissant légèrement. Au début, Mémoria était seulement intriguée par Makhou, mais l'attente et la frustration avaient exacerbé ses sentiments et transformé ce corps qui lui était refusé en terre promise. Quant à Makhou, l'effet dévastateur de son délit sur son épouse lui permettait d'entrevoir une prompte rupture mais ce fut son indifférence antérieure qui se brisa ce soir-là. Alors que sa femme, vexée par ce qu'elle venait d'apprendre, faisait mine de se préparer au départ, entassant quelques affaires dans une valise, il eut peur de ne plus trouver cette masse inerte et chaude qu'il devinait sous les couvertures, quand il rentrait tard de ses errances nocturnes. « Tu ne vas pas partir ? lui dit-il, enfin tu ne peux pas me faire ça, pas comme ça, supplia-t-il. » « Et pourquoi devrais-je rester ? martela Mémoria, courroucée, pour te servir de courtine, de rempart moral derrière lequel tu vas continuer à roucouler avec ton *travlo* ? Non, merci ! Je suis encore jeune et je n'ai pas l'intention de mourir vierge. Je vais rentrer chez mes parents, tout leur expliquer et, crois-moi, Dakar ne manque pas de beaux gosses prêts à me faire découvrir ce que c'est qu'un homme ! » Pour une fois, Makhou perdit de sa superbe devant Mémoria. Le divorce ? Pourquoi pas ? Les arguments de son épouse ne souffraient aucune contradiction, mais il ne pouvait la laisser filer avec un si gros secret, il lui fallait donc gagner le temps de se ménager une sortie honorable. L'aube s'infiltrait, bleue, telle une poussière de rêve, lorsqu'il abattit les persiennes et se fit humble, lui proposant de reprendre la discussion à tête reposée, après un sommeil réparateur.

— Ah, il ne manquait plus que ça ! grinça la table basse, je te trompe, je te trempe ! oh, excusez-moi, mais, finalement, ça revient au même : je te trompe, je te tombe, décidément, les humains ont l'art de tenir le cœur en laisse.

— Et tu ne crois pas si bien dire, car c'est bien d'une laisse qu'il s'agissait, une laisse dont Mémoria fit à son tour le plus habile usage ! Moi, Montre, j'ai compté des heures, des jours, des semaines et des mois durant lesquels le moindre regard de notre illustre maîtresse prenait valeur d'ordre pour son époux. Entretenant sa blessure de femme doublement trahie, elle le tenait par le secret et n'attendait plus de lui que contrition. Makhou ne s'éloignait plus de la maison, le moindre faux pas lui semblait susceptible de déclencher l'esclandre. Lui, le play-boy hautain, le vieux garçon aux fausses noces, l'imperturbable stratège s'était mué en mari idéal, du moins en apparence, car au fond de lui, il rêvait de sortir de cette bulle gluante de culpabilité que son épouse maintenait autour de lui, malgré ses mille pardons et ses douloureux cadeaux. Il ne fréquentait les magasins de son père que pour en ramener de quoi trouver grâce aux yeux d'une compagne enroulée dans la froideur. Le temps ? Alors là, un jour en valait un autre, *électrotempogramme* plat ! Eau de calanque, le temps coulait monotone, comme celui d'une veillée mortuaire. Le jeune couple se couchait muet, se réveillait silencieux. En l'absence des mots, les sourires restaient confisqués. D'ailleurs, leur lit démesuré les aidait à maintenir la distance. C'était un lit jumeau qui rendait la réconciliation presque impossible, le genre de lit que vous offre votre belle-mère quand elle souhaite récupérer son fiston dans les plus brefs délais. La durée, dans ces conditions, n'arrangeait personne, surtout pas Makhou. Chaque jour n'était qu'un maillon de la lourde chaîne imaginée par Mémoria pour le cheviller à sa galère.

— Pauvre femme, ronchonna Mouchoir, elle tentait peut-être désespérément de garder son mari auprès d'elle ; elle devait tant l'aimer, pour avoir attendu si longtemps.

— Détrompe-toi, tu es trop jeune ; moi, Montre, j'ai suffisamment rythmé la vie des Hommes pour savoir que les mains qui étreignent sont les mêmes qui étranglent.

— Ah bon ? Et cet homme d'une trentaine d'années se laissait étouffer par un bout de femme, sans broncher ?

— Mais non, ce que t'es bête, c'est juste une façon de donner du relief aux mots ou, plutôt, au *mot-motage*. La parole, ce n'est pas une course de vitesse, c'est une randonnée à travers des vallées, des pics, des pentes et des pistes sinueuses, où il vaut mieux marquer des pauses, bien poser le pied et s'arc-bouter. Le mot-motage, c'est ainsi, un pas en appelle un autre, jusqu'au point culminant de l'idée.

— C'est quoi, le *mot-motage* ?

— Ah, t'es lourd à la fin ! *Mot-moter*, c'est écrire ou parler, mais c'est surtout écrire : c'est tailler, raboter, enfiler des mots, les faire coulisser sur le fil conducteur de la pensée et puis, qu'est-ce que j'en sais moi, c'est une timbrée de la plume qui a écrit ça un jour devant moi. Tu n'as qu'à chercher dans Le Petit Robert.

— Je ne vais quand même pas ouvrir le ventre de ce pauvre Robert pour une enfilade de mots.

— Mais qu'est-ce que tu vas encore chercher ? Tu ne connais donc aucun livre ? ! Anatole France dit que le dictionnaire est le livre par excellence, puisque tous les autres livres s'y trouvent, Le Petit Robert, c'est un…

— Bon, ça va, tempéra Masque, le président de séance, là, on peut dire que vous êtes vraiment en train de nous faire du mot-motage malmené, du bruitage inutile. Et si on revenait à Mémoria ?

Dites-nous, Montre, a-t-elle fini par desserrer son étau de la cheville de Makhou ?

— Hélas, non, bien au contraire, elle en augmenta même la pression. N'en pouvant plus de bouillonner à propos d'un, euh... d'une Tamara hors de sa portée, elle s'était décidée à aller lui cracher sa vérité en pleine figure. Là-bas, timidement accueillie, elle consentit à peine à s'introduire dans le salon, mais refusa de s'asseoir comme au bon vieux temps. Debout, elle représenta, tour à tour, l'épouse cocue et l'amie blessée, alterna tirades moralisantes et remarques vexantes, fulmina, vitupéra, avant d'assener le coup de grâce à cette am-i-e, autrefois adorée qui, en réalité, était l'ami X, l'équation qui lui cachait deux inconnus, sous le nez : « Tamara, que dis-je, Tamsir ! Je sais tout ! Tout ! Tu entends ? hurla-t-elle, je sais maintenant tout ce que tu caches sous tes belles robes et ton maquillage trop parfait : ta sexualité, ton parricide, ta fuite, je sais tout, dans les moindres détails. Tu te confiais à Makhou, ben tu vois, lui, c'est à moi qu'il se confie. Alors, un seul pas encore vers mon mari et je mets ton histoire sur les étals du marché Sandaga. » Elle s'apprêtait à quitter les lieux quand Tamsir, avec sa grâce de Tamara, saisit un sac en batik bleu et lui dit d'une voix gênée : « Tiens, s'il te plaît, prends ça, c'est une chose à laquelle je tenais beaucoup, mais prends-la, en souvenir de notre amitié. Seul le vide ne se perd pas, à quoi bon garder les objets quand les êtres se perdent ?

Je t'en prie, prends ça, c'est un dernier service que je te demande. » Mémoria, bouche bée, prit le sac de ses mains tremblantes et s'en alla, perplexe.

— Y avait de quoi l'être ! remarqua la statue du chasseur, elle vient au conflit, part avec un cadeau. Généralement, ce ne sont pas des fleurs que l'on reçoit quand on lance des flèches. Enfin, c'était quand même étrange comme situation.

— Justement, Chasseur, la sagesse née de la découverte, de la compréhension de l'étrange, fit Masque. Pour le moment, la nôtre de sagesse, ce serait de laisser Montre poursuivre afin de nous éclairer sur la nature du fameux cadeau. Ce geste était-il simplement amical ou y avait-il anguille sous roche ?

— Je pense que nous avons parmi nous quelqu'un de mieux informé que moi sur ce sujet.

— Oui, le fameux cadeau, c'était moi, moi, Coumba Djiguène, la pétulante. Quelques jours avant la visite de Mémoria, Tamara m'avait enlevée de mon présentoir, enroulée dans un châle en soie mauve et enfermée dans cet irrespirable sac en batik. Les humains se soucient si peu de notre confort. J'étouffais dans ce sac ! Oh, n'y voyez aucune désaffection de la part de Tamara, ce sont d'imprévisibles circonstances qui la poussèrent à me cacher, d'abord, puis à se débarrasser de moi par la suite. Depuis que Makhou ne venait plus le, euh, *la* voir, Tamara se sentait abandonnée, seule. Parfois elle sortait, restait longtemps, je ne sais où, et revenait encore plus triste.

J'ignore qui elle allait trouver et pourquoi, mais c'est de retour d'une de ces échappées qu'elle eut le frénétique besoin de me dissimuler.

— Moi, Châle mauve, qui avais pour mission de cacher sa pomme d'Adam, de lui donner une vraie gorge de femme, je sais tout de ses fameuses sorties : une dune de nostalgie s'était nichée en elle et dérivait vers un certain quartier de Dakar où elle rencontrait des Gambiens, avec lesquels elle discutait, sans jamais dévoiler sa véritable identité. La solitude la poussait à la recherche de ses compatriotes, réfugiés dans la capitale séné-galaise depuis le coup d'État ou venus ultérieure-ment, chassés par la conjoncture économique difficile qui avait suivi. Ses racines lui man-quaient, comme c'est toujours le cas des exilés, lorsque l'ailleurs commence à perdre de son charme. Comme elle n'avait plus Makhou qui partageait naguère une part de son histoire, elle se sentait algue flottante sur la mer noire de la tristesse. En quête d'amarrage, elle interrogeait, discutait avec ses compatriotes, rendait service quand elle le pouvait, puis repartait, enveloppée de son mystère et de sa nouvelle aura de Mère Teresa. Sa honte à l'égard de son amie Mémoria, la douloureuse absence de Makhou, sa peur du vide, elle espérait s'en remettre, atteindre la quié-tude et même la béatitude de la rédemption en volant au secours de ceux qui en avaient besoin. Ce fut cette sollicitude exacerbée qui, un jour, attira son regard sur un monsieur qui se tenait toujours un peu à l'écart du groupe de Gambiens. « Nous l'avons amené avec nous lors de notre fuite, dit un homme qui faisait le tailleur, en croisant le regard interrogateur de Tamara. Nous l'avons rencontré dans la rue, errant, couvert de sang, la tête bandée, il avait l'air si perdu avec sa blessure, nous avons eu pitié de lui. Ici, nous l'avons fait soigner, sa plaie est guérie, mais il est complètement amnésique. Nous ne savons ni son âge ni son prénom, alors nous l'appelons *Gorgui*, le Monsieur. Il ne raconte rien qui permette de mener une recherche, il répète seulement qu'il veut retrouver son fils et récupérer la statue de sa femme, sans jamais donner un nom ni le moindre indice afin qu'on puisse l'aider. » Tamara, dans la douceur féminine la plus parfaite, écouta sans broncher, les yeux rivés sur le Gorgui qui vint lui demander une pièce, d'une voix enfantine. Ce jour-là, Tamara aurait voulu donner tout ce qu'elle possédait, si cela pouvait lui acheter le courage et la liberté de partir sans se retourner, mais quelque chose d'irrésistible contrôlait sa volonté. Les traits de Gorgui, sa carrure, ses gestes désordonnés se perdaient dans les yeux embués de la prof de danse et plongeaient dans sa mémoire où ils s'ajustaient sans peine à ce mot qu'elle ne prononçait plus depuis si longtemps : Papa. Le groupe de Gambiens ne se rendait compte de rien, mais une tortue venait de perdre sa carapace et n'était plus que chair vive. À son grand dam, Tamara fut incapable de balayer son sentiment filial d'un revers de la main : ce père autoritaire, sans pitié, cet officier, désormais sans galon, qu'il avait tant détesté, n'était plus qu'un être fragile, une enveloppe humaine vidée de son arrogance. S'il faut pardonner aux repentants, pourquoi ne pardonnerait-on pas à ceux qui, ayant purgé leur âme par la souffrance, ont retrouvé l'innocence de l'enfance et oublié jusqu'au mal dont ils étaient censés se repentir ? Tamara ne voyait plus en Gorgui le père sévère qu'il avait fui, mais un tas de gènes dans lequel il se reconnaissait, un agneau de Dieu sur lequel il se devait de veiller par humanité. Ce soir-là, Tamsir emmena Gorgui avec lui. Pour rassurer les Gambiens et obtenir leur accord, il leur dit qu'il voulait le faire soigner. Mais il n'en était rien, puisque l'amnésie lui rendait un père qui se laissait enfin aimer, le doux père dont il avait toujours rêvé ; il l'espérait incurable. C'est pourquoi il se débarrassa de moi, Coumba Djiguène, la pétulante statue de femme qui risquait de conduire le père prodigue dans les sillages du passé. Bien sûr, Mémoria, qui ignorait le tout, m'emporta et prit le geste de Tamsir pour une tentative désespérée de réconciliation. Finalement, elle qui était venue offensée s'en était retournée gênée. À son tour, elle m'installa dans son salon et m'accorda une attention inattendue. J'ignore ce qu'elle éprouvait à mon égard, mais à chaque fois qu'elle entrait ou sortait du salon, elle avait un regard pour moi : étais-je le souvenir de l'ineffaçable faute ou de l'inoubliable amie ? Une chose est certaine, je n'étais pas un simple objet de décoration, car je ne laissais pas Mémoria indifférente. Mais qui peut mettre au jour les labyrinthes de l'âme humaine ?

— Moi, Montre, qui étais à son poignet, sentais les variations de ses émotions au battement de son pouls, je sais ce qui l'animait. Puis, il faut dire qu'à force d'être collée à leur chair, j'en arrive à décrypter les états d'âme et la philosophie des Hommes.

— Oui, oui, on ne le sait que trop, tu étais au poignet de Mémoria, avec la prétention de compter les heures de sa malheureuse vie, maintenant, tu nous snobes en traitant de philo…, de *philoshommie*. D'ailleurs, comme il te revenait également l'odieux privilège de passer avec elle ces heures où elle me laissait seule, raconte-nous le but de ses errances.

— Tu pourrais ajouter « s'il te plaît ! » Mais bon, je ne vais pas te demander de te mettre à mes pieds, puisque tu n'es pas la seule suspendue à mes lèvres…

— Tes pieds, tes lèvres ? Pouah, on aura tout entendu ! Une simple montre, aussi plate qu'une crêpe bretonne, avec des lèvres et des pieds par-dessus le marché ! Écoutez-moi ça, dans quelques secondes, elle va prendre sa mécanique pour un cerveau !

— Ah, mais lâche-moi donc, Gros-lolos ! Ce n'est qu'une expression. On parle bien de pieds de lit, non ?

— Oui, et c'est une bêtise sans nom.

— D'abord ce n'est pas une bêtise, ensuite ça porte bien un nom, les humains appellent ça une cata…

— Cataplasme ? C'est toi qui as besoin d'un cataplasme, sur ta tête déréglée, avant de nous envoyer au catafalque avec ta catatonie !

— Mais non, pas cataplasme ! Le fait de parler de « pieds de lit », les humains appellent ça une catachrèse.

— Cataplasme ou catachrèse, peu importe, dit Masque, au point où nous en sommes, il convient de respecter notre cap. À toi donc, Montre, de verser ta parole afin de faire germer la vérité. S'il te plaît, dis-nous quelle catharsis Mémoria escomptait de ses sorties qui ont laissé à notre chère Coumba Djiguène cette jalousie cataclysmique à ton égard.

— Puisque notre président me le demande si gentiment, je ne vais pas me prendre pour Socrate et vous dire que « tout ce que je sais, c'est que je ne sais rien » ; car en effet, je sais beaucoup. Alors que Makhou, ferré à sa culpabilité, n'osait plus quitter le domicile conjugal, Mémoria s'était senti pousser des ailes : maintenant, c'est elle qui se faisait désespérément attendre. Elle saisissait toutes les opportunités pour sortir, mettant ainsi à rude épreuve les nerfs de Makhou qui redoutait de voir son secret éventé. Mémoria se rendait chez ses parents, visitait ses anciennes camarades de classe, s'attardait au shopping. Elle ne révélait rien de l'intimité de son couple, mais elle comptait sur ces fréquentes absences pour susciter un sentiment de jalousie, voire de désir chez son mari qui, privé de Tamara, ne dirait peut-être pas non à une authentique tendresse féminine. Elle espérait aussi que son orgueil de mâle piqué à vif le pousserait, un jour, à mieux garder son territoire. Elle s'endimanchait pour ses virées, n'hésitait pas à se mouler dans des toilettes sexy et rentrait le plus tard possible. Une nuit Makhou, qui l'attendait sur le perron, finit par sortir de ses gonds : « Mais où étais-tu ? T'as vu l'heure qu'il est ? » « J'étais partie chercher ce que tu ne me donnes pas : sève et sourires, murmures tendres et baisers torrides, dans des bras bien virils. Rassure-toi, je ne te demanderai rien de tel. » Furieux, Makhou l'attrapa par le bras, l'entraîna dans leur chambre, la jeta au lit, lui arracha ses vêtements en un éclair et, la reniflant de partout, éructa : « Dis-moi, quel salaud a osé poser ses sales pattes sur toi ? Dis-le-moi ! Tu sens un parfum que je ne te connais pas ! » Mémoria gardait une hilarité assassine. Elle avait débusqué le mâle à l'état de nature, pensat-elle ; l'amour esthétisé, sublimé, détourné de son objet canonique, la prétendue homosexualité de Makhou avait foutu le camp, du moins momentanément ; la possessivité masculine s'exprimait. Le faucon, même rassasié, ne lâche jamais sa proie en cours de route. Makhou savait que, tôt ou tard, la barque folle de son couple allait s'échouer, mais il négociait son sabordage sur une berge de son choix. Alors, il s'accrochait. Il ne voulait pas perdre la face : laisser Mémoria le cocufier ouvertement aurait fait de lui la risée de tous. Devant l'immensité de l'impasse, la fuite, loin de son foyer, de sa famille, de sa ville et même de son pays natal lui semblait la seule issue possible. Le lendemain, il entreprit de convaincre Mémoria de la nécessité de son départ : « Comme tu le sais, notre situation économique est catastrophique, depuis que les dictateurs du Fond monétaire international ont mis en œuvre la dévaluation de notre franc CFA. Les affaires de mon père périclitent, celles de ton père ne vont pas mieux. Quant à ma mère, si les réductions successives de personnel l'ont épargnée, son salaire ne vaut plus grand-chose. Au moment où les prix s'envolent, sa clinique revoit les salaires à la baisse. Encore une absurdité du capitalisme. Puisque j'ai une carte de résident toujours valide, je vais partir pour la France. Là-bas, j'ai des amis de longue date, ils me trouveront du travail. Ne t'en fais pas, j'accomplirai mon devoir de mari ; enfin, je veux dire que je t'enverrai de quoi vivre, et puis je viendrai aussi souvent que je le pourrai. » Makhou avait parlé, le regard fuyant de la pointe de ses chaussures à l'angle le plus obscur du salon. Aussi ne remarqua-t-il le rictus qui, petit à petit, déformait les lèvres de Mémoria qu'au moment où celle-ci tonna : « D'abord je me marie avec une planche froide, et maintenant tu veux me transformer en nonne, jurant fidélité à une chambre vide. Non, tout sauf ça ! Contrairement à Monsieur, je suis de chair et de sang, moi. Peloter des oreillers ne fait pas mon affaire. Tu ne partiras pas sans moi, ou alors nous devrons d'abord divorcer. Ne t'inquiète pas, les parents l'accepteront facilement, si je leur dis ce qu'il en est exactement de notre couple. » Encore une fois, l'horizon de Makhou se bouchait, mais il ne pouvait plus laisser les choses continuer à lui pourrir la vie. Il ne voulait pas se l'avouer, mais il tenait de plus en plus à sa femme. Amour naissant ou besoin de se faire pardonner toute la souffrance qu'elle avait endurée par sa faute, Makhou sentait une confusion émotionnelle l'envahir. Sa seule certitude, c'est qu'il n'avait plus le courage de lui faire du mal. Et comme elle exigeait une vraie vie de couple, il était prêt à essayer, après tout ça faisait longtemps qu'il ne voyait plus Tamara et n'avait personne d'autre, à part Mémoria, pour recevoir et lui rendre son amour. C'était donc décidé, il irait en France, avec elle. Là-bas, loin de tout, ils apprendraient à mener une vraie vie matrimoniale.

— C'était donc pour cette raison et non à cause de la situation économique qu'ils débarquèrent en France, nous emportant dans leur aventure ! fit Masque. Moi, je suis le protecteur des lares, j'assume cette lourde charge depuis sept générations. Les parents de Mémoria m'avaient ramené de leur village, lorsqu'ils vinrent s'installer à Dakar. Ils me remirent à leur fille avant son départ, afin que je veillasse sur son foyer en France.

— Eh oui ! Moi, Marinière, je puis vous affirmer que, les jours qui suivirent la décision de Makhou, Mémoria entassait les objets et jubilait. Malgré la chaleur, elle faisait ses tâches ménagères avec plus d'entrain en chantonnant. Comme elle me portait, j'étais imbibée d'une sueur aussi abondante que l'espérance qui l'habitait.

— Moi, vieux Collier de perles, alors accroché à son cou, j'ai tout entendu de ses murmures, depuis ses préparatifs jusqu'à son embarquement. Même les battements de son cœur étaient éloquents. La France, ce n'était pas le bout du monde, mais la chambre du bonheur où son énigmatique Makhou lui serait enfin livré, Roméo transi d'amour. Ils s'aimeraient, batifoleraient, leur tardive lune de miel serait plus longue que toutes les lunes, mieux, elle durerait toutes les lunes de leur séjour, là-bas, là où Piaf et Brel ont tellement chanté l'Amour que des amoureux du monde entier viennent voguer sur les larmes de la Seine émue. Là-bas, avec Makhou, ils seraient neufs, auraient des sentiments neufs, puisque tout serait nouveau à leurs yeux et prompt à les inspirer. L'automne tirait sa révérence, l'hiver pointait le bout de son nez, mais Mémoria respirait le printemps en décollant de l'aéroport de Dakar-Yoff. Assise côté hublot, la jeune femme huma avec délectation le parfum de son époux qui s'était légèrement penché vers elle. Ils regardèrent la ville se rétrécir, devenir peau de chagrin, se refermer sur l'espace qu'ils y occupaient. « Plus Dakar s'éloigne, plus il est à moi », se disait la jeune femme. La mousson déposerait les feuilles mortes du passé sur la pointe des Almadies, l'Atlantique les emporterait très loin des Champs-Élysées, du jardin du Luxembourg, des rives de la Seine, où nul vent n'oserait disperser les pétales de rose qui tomberaient de leurs lèvres lorsque Makhou, regrettant le temps perdu, lui murmurerait des « *je t'aime pathétiques* » en l'étouffant de baisers. Pour eux, l'amour n'était pas un coup de grisou tombé du ciel, mais une terre vierge à conquérir et fleurir.

— Partir, c'était quitter *l'île de la raison* des parents, aller apprendre à s'aimer, renchérit Montre.

— On peut dire ça comme ça, concéda vieux Collier de perles. À dix mille pieds d'altitude, Mémoria se sentit vraiment mariée, pour la première fois : ils allaient en France ensemble, ils volaient vers une aventure commune, qu'ils s'étaient eux-mêmes choisie, ils étaient enfin liés l'un à l'autre. La jeune femme rêvait : Makhou aurait pu partir sans elle, mais il avait préféré l'emmener, ça voulait bien dire quelque chose.

— C'est exact, attesta Masque, mais nous avons déjà vu que Makhou pouvait faire une chose en pensant le contraire.

— C'est le propre des humains, notre chère Mémoria elle-même l'a prouvé, commenta Montre. En classe, elle prenait un air studieux devant son professeur de maths, tout en lui souhaitant une maladie grave ou un accident qui l'aurait empêché de venir lui seriner ses théorèmes. Adolescente, quand elle avait une friction avec ses parents, elle menaçait de s'enfuir de la maison, en espérant qu'on la retienne, et on la retenait toujours. Adulte cocue, elle feignit la blessure éternelle, repoussa la tendresse repentante de Makhou, parla même de divorce, au moment où, ravie de capter enfin son attention, elle se mourait d'amour pour lui. Les humains sont ainsi faits, ils affectent l'amour dans la détestation et inversement, bien malin qui arrive à certifier l'exacte nature de leurs sentiments. Il leur faut dire gauche-droite et tourner droite-gauche, sans quoi le chemin de leur cœur serait trop facile d'accès et leur vie sans rebondissements. Or, comme vous le savez, ils nous réservent force surprises.

— Égrène, Collier, égrène tes perles, puisque chacune d'elles semble pleine d'une croustillante révélation, gloussa Canapé.

— Un peu de respect pour les morts, moralisa Montre ; je reconnais que toi, Canapé, toujours affalé au même endroit, ta vie serait ennuyeuse si tu n'assistais pas, de temps en temps, à certaines choses qu'il ne m'appartient pas d'évoquer ici. En tout cas, sache que les indiscrétions ne sont pas à l'ordre du jour.

— Pouah ! Tu peux parler d'indiscrétion, toi. Laisse-moi rire ! Tu n'es qu'un œil, un œil tout rond de curiosité, toujours plaqué au poignet des humains. Qui mieux que toi observe ce qu'ils font de leurs mains et du reste ?

— Suffit ! s'exclama le président de séance. Narcisse idolâtre son image, car il ne sait pas ce que les autres pensent de lui. La vie est un dortoir d'été où nous dormons tous à poil, le premier qui se réveille demande aux autres de cacher leur derrière, mais personne n'est dupe : en désignant les tares des autres on ne fait qu'avouer les siennes. Bref, revenons à Mémoria. Et si notre amie Valise, qui s'est contentée d'écouter jusqu'ici, nous racontait son arrivée en France ? Allez, Valise, s'il te plaît ? Je sais que cela a été éprouvant pour toi, mais nous avons besoin de plus amples informations.

— Éprouvant ? Ce mot est loin d'exprimer le degré de violence de ce que j'ai enduré…

— C'est un euphémisme ! claironna Montre.

— Un œuf quoi ? interrogea Assiette.

— À la coque, plutôt dur à avaler pour toi, pauvre idiote. Il faut vraiment tout t'expliquer ! Un euphémisme, c'est le professeur de français de Mémoria qui le disait quand…

— Qu'est-ce que t'es rasant, Montre, avec tes souvenirs scolaires, trancha Couteau, déçu de ne pas passer à table alors que le mot *œuf* venait de le mettre en appétit.

— En tant que président de séance, je vous ordonne de vous taire ! Permettez à Valise de poursuivre !

— Comme je vous le disais tantôt, ce voyage n'a pas été éprouvant mais éreintant. Tout se passait comme si on avait voulu m'exploser, à peine achetée au marché Sandaga. La veille du départ, Mémoria me gava à ras bord, j'ai cru qu'elle ne parviendrait pas à me fermer. Je ne rechignais pas à gober toutes ses affaires, mais je fus scandalisée de la voir revenir, sans cesse, avec des choses qui d'ordinaire n'ont rien à faire dans une valise. En effet, entre les vêtements, le nécessaire de toilette et la pile d'albums photos, elle glissa des bouteilles d'encens, des sachets d'arachides, de couscous de mil, de thiakry, de bissap, de quinquéliba, deux mangues encore dures et même du poisson séché emballé dans du plastique. Elle m'aurait fourgué tout Dakar si je ne m'étais pas mise à tout dégueuler. Ce soir-là, Makhou fit des prouesses gymniques, s'installa sur moi au lieu de chevaucher sa femme, pendant que celle-ci me verrouillait péniblement. C'est donc les flancs tendus que j'arrivai à l'aéroport, ignorant le calvaire qui m'y attendait. Bousculée, roulée, traînée, je fus jetée, bosselée, dans la soute de l'avion, par des bagagistes si brutaux que j'avais envie de leur crier dessus : « Je ne suis pas ce patron qui vous paie mal, je ne suis qu'une pauvre valise ! Pitié ! » Bref, j'ai passé les cinq heures et demie de vol à redouter le débarquement.

— Et alors ? fit Canapé.

— Eh bien, j'avais tort de me ronger les sangs.

— Oh là là ! se moqua Montre, je sais bien qu'on te bourre à craquer et que ça te fait des tripes en vrac, mais une valise qui se ronge les sangs, pourquoi pas une crise de nerfs à Roissy, chez Charles le goal qui intercepte les ballots de ton genre ?

— Bon alors, ce débarquement ? grogna Canapé, impatient.

— Une belle surprise ; même si les machines faisaient l'essentiel du travail à leur place, les bagagistes parisiens me traitèrent mieux que les Dakarois.

— Veux-tu insinuer que les Blancs sont plus doux que les Noirs ? taquina Bëthio.

— Demande ça à leurs épouses et laisse-moi tranquille. Je n'insinue rien du tout, simple question d'ob... d'objet, euh...

— D'objectivité ! clama Montre. Valise a raison, Bëthio fiche-nous la paix avec ce genre de suspicions débiles, cette division arbitraire de toute réflexion entre Noirs et Blancs qui fait qu'on n'ose plus rien dire honnêtement. On s'en fout de la couleur du bras qui soulève une valise, c'est toujours un bras humain. La seule différence que le récit de Valise souligne, ici, c'est que les moyens techniques facilitent la tâche aux bagagistes français, tandis qu'à Dakar, leurs collègues besognent comme des charretiers du Moyen Âge pour servir la même clientèle. Si le monde est devenu un grand village, toutes ses cases ne sont pas faites de la même paille.

— Raconte-nous, Valise, la réaction de Mémoria entrant dans cette case quatre étoiles.

— Elle fut très surprise par le climat. C'était le deux novembre, les Français pleuraient leurs morts, le froid serrait les cœurs. Même ceux qui n'avaient perdu personne avaient les larmes aux yeux. Anges de consolation drapés dans le brouillard, les tours de Roissy se penchaient sur la détresse des Hommes. À l'aéroport, elle fut frappée par la multiplicité ethnique, la longueur des couloirs et la complexité de l'architecture, mais ces considérations ne l'occupèrent que peu de temps. Les morsures de l'hiver sur ses mollets dénudés, ses lèvres desséchées, ses mains gelées qu'elle n'arrivait plus à décoller de la poignée de sa valise, représentaient autant de points de tension malmenant sa bonne humeur. Dès que Makhou eut fini de montrer leurs papiers aux agents, ils se mirent à la chasse d'un visage connu. Personne. L'ancienne camarade de classe de Makhou, censée les accueillir, restait invisible. « Viens, on va boire quelque chose en attendant », dit Makhou en voyant son épouse grelotter. À peine étaient-ils installés que Mémoria commanda un chocolat chaud. Son compagnon sirotait encore son café lorsqu'elle en demanda un deuxième. Makhou vida sa tasse et se dirigea vers une cabine téléphonique. À l'autre bout de Paris, une voix enjouée lui répondit : « Ah, mon cher

Makhou ! Alors t'es bien arrivé, avec ta chérie ?
Mais non, ne le prends pas comme ça, excuse-
moi, j'ai simplement oublié, on est samedi, j'ai
des invités. Écoute bonhomme, je suis désolée,
mes invités m'attendent, prends un taxi et
trouve-nous à la maison, tu as l'adresse, allez,
à toute ! » Accoudée au comptoir du café,
Mémoria surveillait leurs bagages du coin de
l'œil et serrait son troisième chocolat entre ses
mains, quand Makhou hurla : « On y va ! » Elle
fit les yeux ronds et lui montra sa tasse du doigt.
« Mais enfin, tu te rends compte ? Trois choco-
lats d'affilée ! Les prix, ici, ce n'est pas comme
au pays. Continue comme ça et nous serons
bientôt sur la paille. Bon, on y va. » Mémoria ne
s'offusqua point de cette remarque appuyée,
bien au contraire : le *nous serons* de Makhou la
remplissait de joie et d'espoir. « *Nous serons*, oui
nous serons tout ce que tu voudras, mais ensemble, et c'est ça l'essentiel », se disait-elle inté-
rieurement. À la sortie, un taximan malien, ravi
de croiser un bout d'Afrique, se précipita sur
leurs bagages. « Bonjour mon frère, bonjour
ma sœur. Vous allez où ? Oui, j'augmente le
chauffage. Il fait trop froid hein ! Moi, ça fait
quelques années, mais je ne m'habitue pas.
Démbélé Boubacar, je m'appelle Démbélé
Boubacar. Je suis venu de Ségou, là-bas, un
beau fleuve, du bon poisson, du soleil tous les
jours, le problème c'est qu'il n'y a pas beaucoup
d'argent, alors... » Pendant tout le trajet, il leur

fit la conversation dans un français nettement moins bon que le leur.

— Furent-ils bien accueillis ? s'enquit la statue du chasseur. Nous, Masque, Coumba Djiguène et moi, n'avons rien vu de Paris, nous étions dans des cartons qui ne furent pas défaits dans cette ville, et je pense que beaucoup d'autres membres de notre assemblée sont entrés dans la vie de Mémoria bien plus tard. Alors, qui peut nous renseigner ? Après le lapin à l'aéroport, comment les avait-on reçus chez la fameuse amie parisienne ?

— Eh bien, il leur fallait s'acclimater et moi, Montre, je sais de quoi je parle. Dès leur arrivée, Mémoria me régla à l'heure française, elle m'avança d'une ou deux heures, je ne sais plus. Je trouvai ça insensé, car d'après l'OMS, l'espérance de vie des Français est bien supérieure à celle des Sénégalais. Logiquement, Mémoria aurait dû compter son temps de vie plus lentement. Elle prétendit que c'était une question de fuseau horaire, moi, je n'y comprenais rien, comme si le temps ne passait pas partout de la même manière. Bref, laissons les humains manipuler Chronos ; pendant qu'eux s'inquiètent d'être en retard ou en avance, lui suit son pas régulier.

— Assez ! Montre, les professeurs t'ont transmis leur déformation professionnelle, cette façon de vouloir tout comprendre, tout expliquer. Puisque je préside cette assemblée, je voudrais qu'on revienne à nos voyageurs.

— D'accord, Masque. Donc, on me régla. Cependant, si je n'eus aucune réticence à tourner à l'heure française, Makhou et Mémoria, eux, avaient vraiment du mal à s'y mettre. Lorsque le taxi stationna à la bonne adresse, ils furent soulagés. La voix joyeuse qui s'échappa de l'interphone les rassura, mais la déception les accabla bien vite. Après de bruyantes salutations, qu'ils jugèrent trop brèves comparées aux interminables salamalecs du pays, ils éprouvèrent la désagréable sensation d'être sitôt oubliés. Ceux qui bavardaient au salon prolongeaient un débat dont les nouveaux venus ignoraient la teneur. Tout excitée, la maîtresse des lieux complétait chaque réplique, tout en remplissant des verres qui se posaient à peine. Makhou ne reconnaissait plus cette camarade de fac, dont il avait gardé le souvenir d'une fille simple, réfléchie et pleine de retenue. Il est vrai que depuis leur dernière rencontre, il y avait de cela quelques années, elle avait renoncé à son Alsace natale pour s'installer à Paris. Elle y avait épousé un affairiste qui oscillait entre les arts et la finance. Depuis, escortant son faux dandy, Gertrude gravitait autour des strass parisiens. Entre salons et vernissages, elle ne fréquentait que des sapiens lustrés, chaussés à la Roland Dumas et fiers de montrer leurs poupées mondaines, instruites par les livres de la baronne de Rothschild. Alors, des terreux venus de la savane ? La courtoisie l'y obligeait, mais la diplomatie a ses limites, tout de même. Et puis, les souvenirs de fac, ça vous écorne parfois l'image d'une lady. D'ailleurs, elle ne supportait plus les photos de cette lointaine époque. Flash-back ? Non, bague et flash, Gertrude voulait avancer vers la lumière, sans se retourner. Lorsque Makhou, encore détenteur d'une carte de résident en bonne et due forme, lui avait écrit pour lui annoncer sa venue, quémandant par la même occasion un certificat d'hébergement pour sa compagne, elle avait cru qu'ils débarqueraient ailleurs et passeraient juste la remercier. Maintenant, elle se sentait piégée. Dès le troisième jour de politesse, son mari commença à fuir ce qu'il appelait : *la foule domestique, les Africains de Madame.* Au bout d'une semaine d'atermoiements, elle imposa une solution au couple : « Ma mère possède une ravissante demeure à Bifurkheim. C'est une maison de caractère, située dans un cadre idyllique, entourée de verdure. Elle pourrait vous louer la mansarde, le petit appartement du dessus. Elle a toujours refusé la location, mais comme je vous connais et qu'elle doit partir quelques mois chez ma sœur, aux USA, elle acceptera plus facilement. De toute façon, comme elle voulait engager un gardien... Et puis, le petit dédommagement que vous lui verserez va lui arrondir sa retraite. » Gertrude avait débité tout ça en leur servant du thé *Mariage*. Eh oui, car outre un débarquement à l'improviste, ils avaient des exigences en matière de boisson et de viande, ces musulmans. Gertrude avait tellement conscience d'être tolérante qu'on l'aurait préférée indifférente. En coupant le gâteau, elle croisa le regard médusé de Makhou et ajouta, comme pour s'excuser : « Tu ne pouvais pas mieux tomber, mon cher. L'Alsace est une région riche, moins touchée par le chômage. Là-bas, avec la formation qui est la tienne, tu devrais trouver un emploi plus vite qu'à Paris. Tu sais, le logement, ce n'est pas évident par ici. » Le soir même, elle téléphona à sa mère. Le lendemain, un dimanche gris et pluvieux, elle lui convoya ses locataires-gardiens, fit d'emphatiques présentations pour rassurer tout le monde. Le dîner, marqué par l'intérêt trop appuyé de la mère pour le Sénégal, fut ethnologique. Afin d'éviter un incident diplomatique, Gertrude tenta de contenir les interrogations maternelles. Les rares souvenirs qui lui restaient d'un séjour au Sénégal, où Makhou l'avait généreusement accueillie avec deux autres camarades de fac, lui servirent de digue. « Le parc du Niokolokoba, formidable ! La réserve des oiseaux de Dioudj, magnifique ! Les pêcheurs des îles du Saloum, de braves gens ! Le marché aux poissons, très sympa ! Soumbedjoune, le village des arts, super ! » « Tu n'avais pas trop aimé le village des arts, ça t'énervait, ce long marchandage », releva Makhou, certain de rafraîchir la mémoire à son amie. « Ah, si, si, si ! je me souviens, c'était vachement bien ! » insista Gertrude. Ce bref échange suffit à la mère pour prendre la parole. S'adressant au jeune couple, avec un sourire qui faisait mal, elle alterna interrogations et affirmations du genre : « Les Massaï, c'est beau, hein, les Massaï. C'est bien au Sénégal, non ? Ah, vous n'avez jamais vu de Massaï, c'est au Kenya ? D'accord ! J'avais lu quelque chose là-dessus, à l'agence de voyage ; je crois même avoir vu un documentaire là-dessus, sur Arte. C'est une peuplade encore authentique, les Massaï. Et l'Éthiopie ? C'est fini la famine ? C'est près de chez vous. Non ? Ah, c'est à l'est ! Ah bon ! Le Sénégal est complètement à l'opposé. Ah, bon ! En Afrique de l'Ouest. Ah, oui, oui ! Je me souviens : c'est la capitale de l'AOF, l'Afrique Occidentale Française ! » « *C'était* ! », la rabroua sa fille, gênée de voir Makhou sacrifier au cours d'ethnographie. Soucieuse de juguler le verbiage de la vieille dame, Gertrude préféra donner le signal du coucher. Après une longue et reposante nuit, hôtes et convives se retrouvèrent devant le kouglof du matin. En vidant son bol de café sous le regard maternel, Gertrude – qui savait que l'auteure de ses jours ne reconnaissait plus sa fille dans la précieuse Parisienne en face d'elle – se sentit obligée d'évoquer ses souvenirs d'enfance à Bifurkheim : la cueillette du houblon, la fête de la bière, les confitures, les tartes à la rhubarbe…, c'était sa façon de lui prouver qu'elle n'avait pas complètement perdu le nord ou, plutôt, l'est. Au déjeuner, pour faire plaisir à sa mère, elle se permit une entorse à son régime hypocalorique, profita d'une bonne choucroute, veau-bœuf-canard, exceptionnellement mitonnée sans porc, à cause des invités spéciaux – et d'une tarte aux quetsches, qu'elle voulait faire découvrir, disait-elle, à ses Sénégalais. La table n'était pas encore débarrassée, lorsqu'elle referma la portière de sa voiture sur les baisers maternels. « Au revoir, rentre bien, ma chérie, reviens plus souvent. Tu m'entends, ma chérie ? » « Oui, oui, au revoir maman. Oui, maman, à bientôt ! » Et vroum ! Elle n'allait pas se laisser retarder par les trémolos culpabilisants d'une veuve qui avait fait son temps. On l'attendait à Paris : son Mister dollar avait convié toute sa clique de cultureux pour fêter l'acquisition, aux enchères, d'une toile peinte par un clone de Warhol, où un clone de Marilyn faisait semblant d'abaisser sa robe soulevée par un vent aussi artificiel que son sourire. Madame n'était pas jalouse : la robe de Marilyn, son mari ne risquait pas de la froisser, et c'était mieux ainsi, de toute façon, tous ceux qui l'ont retroussée sont morts.

— Oh Montre ! gémit Mouchoir, ce que t'es fielleuse ! C'est quand même bien de fêter les petites joies de son homme.

— Et toi ? Ce que tu peux être mièvre ! Des bourges qui bandent pour de fausses œuvres d'art, enrichissent de pseudo-créatifs qui font le tapin dans les soirées mondaines pendant que de vrais artistes crèvent la dalle dans les sous-sols, tu trouves ça normal, toi ?

— Bon, on ne va pas refaire le monde – si c'était possible, Arlette Laguiller l'aurait fait avant vous – crissa vieux Collier de perles. C'est en amusant Louis XIV que Lully nous a fait des chefs-d'œuvre, les artistes ont toujours mangé aux râteliers à leur portée, sans forcément se compromettre. Pour bénéficier de conditions propices à la création et assurer leur renommée, ils se servent des puissants qui, à leur tour, les utilisent comme faire-valoir, ainsi se trouve échassier qui croyait monter ; enfin, c'est ce que j'ai entendu dire à l'Opéra, un soir où j'étais au cou de Mémoria.

Une silhouette traversa la pièce, choisit un CD, l'inséra dans la platine et la complainte de Barbara se répandit, lancinante, telle une douleur sans remède. Une main ajusta la position du coussin sur le canapé, un corps s'écrasa dessus, les bras en croix. Un violoncelle venu des profondeurs de l'âme accompagna la dame en noir, vers une contrée inconnue de ceux qui vont bien. Quand la musique prend ses quartiers, seule la joie a l'impolitesse d'émettre des mots ; or, là, on se demandait quand elle reviendrait. Alors, chut !

DEUXIÈME PARTIE

VI

Le mélomane n'avait pas longtemps supporté son auto-crucifixion. Au bout de quelques morceaux, ses glandes lacrymales avaient tout rincé sauf sa tristesse. Il attendait, sans espérer. Personne ne revenait, personne ne reviendrait. Il le savait. Il ne sert à rien d'interroger le vide qui répond par lui-même. Des êtres chers partent, c'est un fait. Tant de places vacantes dans nos vies. De qui, de quoi les remplir ? On voudrait que la lumière d'un visage chéri, de retour, nous inonde de joie, mais il est des départs qui ne promettent nulles retrouvailles. C'est ainsi. Une question en boucle : l'entendement humain, limité, peut-il appréhender et assimiler *le définitif*, inscrit par définition dans l'infinitude ? Où et quand s'arrête la douleur d'une perte définitive ? Les yeux gonflés et brûlants, il prit un bain éclair, nécessaire rafraîchissement, et quitta les lieux, espérant vaguement qu'une longue promenade lui apporterait un peu de réconfort.

— Et si nous poursuivions le chemin de nos Sénégalais en Alsace ? proposa le président de séance.

— Crrrrrr ! fit Montre, en remontant le temps, ben alors, mon vieux Masque, t'es sourd ou quoi ? Je viens de dire qu'ils s'étaient installés à Bifurkheim, où ils mangèrent une choucroute dès le lendemain de leur arrivée. Après le départ de la Parisienne, ils avaient lentement déchargé leurs valises et s'efforçaient de se sentir chez eux, se reposant enfin de leur long voyage.

— Je te parle de la suite de leur séjour ! Je sais bien que la choucroute donne des envies de sieste, mais ils n'ont quand même pas dormi une éternité, non ? Ils ont dû se réveiller, s'habituer, enfin, habiter quoi...

— S'habituer ? Le virage est un peu raide, mon cher Masque, ronronna Coumba Djiguène. Comme s'il suffisait de digérer une choucroute pour se réveiller Alsacien ! La région est belle, mais on ne l'avale pas avec le chou, elle se mérite. Il faut d'abord planter des pieds de vigne, les dorloter, les soigner, les tailler, aussi délicatement qu'on coupe les cheveux d'une reine ; attendre ensuite, patiemment, très patiemment, que leurs fières grappes, heureuses d'avoir été respectueusement traitées, offrent leur jus qui se mue en nectar sacré, un secret des dieux, un gewurztraminer qu'on déguste millésimé, pour enfin prendre racine en Alsace. Nos Sahéliens, qui se contentaient d'une eau plate, savouraient seulement l'exotique consonance du gewurztraminer et ne savaient pas encore faire tenir six amandes sur un kouglof. Pour l'instant, ils devaient visiter, regarder ; découvrir, sentir ; toucher et palper cette terre qui, réticente à s'offrir, se couvrait d'une froide couette blanche. Pendant tout l'hiver, elle porta les jeunes gens tout en leur demeurant impénétrable.

— Ils ne sortaient pas ? Remarquez, moi, Marinière, non plus. Plaquée au fond d'une valise, je me demandais quand Mémoria daignerait me rétablir dans mes fonctions.

— Et moi, Chasseur, je n'ai rien vu de Paris ! Mais à Bifurkheim, la première action concrète du couple fut de nous extraire de nos emballages de voyage, Masque, Coumba Djiguène et moi, afin de nous installer dans leur minuscule appartement. Une façon, sans doute, de poser des repères, de marquer leur nouvel environnement de leurs emp..., euh..., de leurs emplettes.

— De leurs empreintes ! c'est comme ça qu'on dit, rectifia Montre.

— Oui, si tu veux, mais ça revenait au même.

— Ah, non ! D'ailleurs, ils n'avaient pas encore eu le temps de faire des emplettes. De toute façon, les magasins étaient trop loin pour eux qui n'avaient pas de voiture. À dire vrai, la fameuse maison de caractère n'en manquait pas : retirée, vautrée sur elle-même, son colombage creusé par l'usure nichait des colombes. Quant à la verdure qui l'encerclait, elle se résumait en une broussaille de ronces, d'arbres sans feuillage ; l'hiver n'aime que le squelette des végétaux et quand il est lassé de le mordre, il s'acharne sur la chair des humains. D'ailleurs, ce fut dans le but de protéger la leur que les locataires-gardiens se rendirent en ville acheter quelques laines de marin. Emmitouflés, ce n'était que pour aller au lit ou se faire à manger qu'ils se résignaient à s'éloigner de la cheminée qu'ils ne quittaient plus, depuis que la propriétaire bronzait en Floride. Mémoria cuisinait toujours sénégalais, Makhou tentait quelques spécialités françaises, en exhumant ses souvenirs d'étudiant, mais aucun connaisseur n'était là pour évaluer ses talents gastronomiques.

— Ils n'ont pas fait que ça en France, s'indigna Canapé. Moi, je n'ai pas connu Bifurkheim, ils m'ont acheté à la zone industrielle de Vendenheim, à Strasbourg.

— Moi aussi, bipa Téléphone, et je crois que nos amis, Assiette, Ordinateur et Télé viennent du même endroit. Mais avant de nous acheter, de nous installer dans cet appartement au quartier qu'on appelle Kœnigshoffen, ils ont dû quitter Bifurkheim. Pourquoi ? Comment sont-ils arrivés à Kœnigshoffen ?

— Bonne question, Téléphone, remarqua Montre. Pour une fois, tu ne parles pas pour ne rien dire. En effet, Mémoria, en petite citadine habituée à l'animation du Dakar bourgeois, ne se plaisait point dans ce patelin. À cela s'ajoutait le fait que Makhou ne trouvait toujours pas de travail stable, en dehors des vendanges qu'il courait dans les environs. Mémoria avait essayé de l'y accompagner, mais, plus accoutumée à vernir ses ongles qu'à extraire des échardes de ses petites mains, elle jugea ce gagne-pain insupportable et exigea de son époux un déménagement à Strasbourg, quelque temps après le retour de la propriétaire. Une propriétaire ravie du gardiennage, mais excédée par l'accumulation des loyers impayés. Ils n'osaient plus faire appel à la Parisienne – elle devait certainement partager le courroux de sa mère. Makhou passa ses relations françaises au crible, son carnet d'adresses regorgeait de numéros de téléphone d'anciens amis, mais beaucoup avaient changé de domiciliation après les études et les rares contacts pris furent infructueux.

— À pied, à cheval, à dos d'âne ou d'amis, peu importe le bras long qui leur a permis d'emménager à Strasbourg, ils y sont allés et c'est leur vie là-bas que nous devons maintenant aborder. Moi, Canapé, j'ai souvent assisté, muet, à des discussions diluées, délayées, plates mais élastiques, morceaux de récits, tirés, triturés, étirés jusqu'à remplir une nuit entière, mais là, Montre, tu m'exaspères. L'ennui avec toi, c'est que tu comptes tous les temps de parole, sauf le tien.

— Je suis d'accord avec Canapé, dit l'ordinateur. Une histoire, c'est comme un immeuble, on peut la monter sur quatorze étages, mais on n'a nul besoin de tous les gravir pour comprendre comment tient la bâtisse. Il n'est pas nécessaire d'être maçon pour savoir que le troisième supporte le quatrième, que s'il y a un quatorzième, c'est bien parce qu'il y a un treizième.

— Pas forcément, démentit Montre, les humains étant superstitieux, certains immeubles n'ont pas de treizième étage et lorsqu'il y en a, peu de gens acceptent d'y habiter.

— Ben alors, les humains ne savent-ils pas compter ?

— Mais si ! Ils ont même inventé l'algèbre et la trigonométrie ! Ne m'ont-ils pas créée, moi, Montre, le mètre, le double décimètre, le mètre cube et les barres, mesurant ainsi le temps, l'espace et la force à l'aulne de leur entendement. Ils sont allés jusqu'à instaurer la monnaie, les enchères et les contrats de mariage, évaluant même ce qui n'a pas de prix, l'art et l'amour.

— En tout cas, moi, Ordinateur, je ne comprends toujours pas : comment peuvent-ils aller du douzième au quatorzième étage sans passer par le treizième ? Bon, bref, je maintiens que l'histoire de Mémoria est comme un immeuble, on n'a nul besoin de s'arrêter à tous les paliers pour s'en faire une idée. D'ailleurs, de nos jours, il y en a qui élèvent des tours de verre, de briques ou de mots, sans trop se poser de questions quant à la manière d'empiler les étages les uns sur les autres.

— Une marche avant l'autre, un palier après l'autre, on appelle ça faire une transition. Évidemment, grâce à toi, avec tous tes logiciels de traitement de texte, certains font maintenant des romans sans avoir besoin de se doper au café, comme ce brave Balzac qui s'épuisait à forger des phrases, à tisser de complexes liens entre des êtres de papier auxquels il insufflait ainsi la vie. Qu'aurait-il pensé de certains de ses successeurs qui, rendus paresseux par la nouvelle technologie, établissent une chronologie, numérotent leurs personnages, les associent à des tranches d'intrigue et te chargent ensuite, toi, docile Ordinateur, de les cheviller les uns aux autres ? Coupe-moi une tranche par-ci, que je te colle une lamelle par-là ! Et voilà, ainsi va le roman high-tech et autrement écrivaient les maîtres de l'encrier, quand ils sondaient les profondeurs de l'âme humaine ! Une situation engendrant une autre, aucun sentiment ne vient par hasard et un paragraphe découle forcément du précédent. Nul ne doute donc de la complexité de la psychologie humaine, mais de là à bâtir des romans avec des schémas numérotés aussi figés que ceux des égouts de Paris ! Sainte-Beuve n'était ni architecte ni mathématicien, encore moins un informaticien ; il en aurait perdu son latin.

— On s'en fiche, de ton bœuf sain ! hurla Ordinateur ; à l'heure de la vache folle, certains critiques littéraires épargnent leurs neurones et se contentent de pomper leurs articles sur Internet.

Tu ne veux peut-être pas reconnaître mon importance, mais de nos jours, je suis incontournable. Les Hommes en me créant prétendaient fabriquer un outil, mais aujourd'hui, leur servilité à mon égard n'est plus à *démonter*.

— A démontrer ! rectifia Montre.

— Démonter ou démontrer, tel n'est pas le but de notre réunion, précisa Masque, le président de séance. Nous sommes censés remonter le fleuve peu tranquille de la vie de Mémoria. Je crois que ma chère Coumba Djiguène, qui piaffe d'impatience, va nous éviter de ramer entre Bifurkheim et Strasbourg.

— Pourquoi, on y va en pirogue ? interrogea Mouchoir.

— Mais non, pauvre idiot, ce n'est qu'une expression ! À force de voyager de sac en poche et de poche en poubelle, tu ne sais rien du monde extérieur.

— J'ai la parole ou pas ? fit sèchement Coumba Djiguène. Comme à Bifurkheim, j'étais placée près du lit du jeune couple, j'ai entendu Makhou, un soir, dire à Mémoria : « Je me suis fait un nouvel ami, Max, le fils du viticulteur. Il travaille à Strasbourg. Il dit que son père possède là-bas des appartements à louer. Il me propose un deux pièces, avec balcon, dans le quartier de Kœnigshoffen. Je crois que, pour démarrer, ça nous suffira. Il m'assure qu'il est en très bon état. Il viendra voir ses parents à Bifurkheim, le week-end prochain. Si tu es d'accord, nous n'aurons même pas à payer le transport, il veut bien nous emmener avec lui, dans sa voiture. » Mémoria ne fit aucune objection, au contraire, elle aurait voulu raccourcir la semaine. Et voilà !

— Et voilà quoi ? s'indigna Montre. Dire c'est faire ? Youplà boum ! Et les voilà qui se réveillent à Kœnigshoffen ? Et la chronologie des événements dans tout ça ? Je veux dire la logique, car même pour sauter du coq à l'âne, on est bien obligé de respecter une certaine logique aérodynamique. Je répète, la transition est fondamentale ! C'est bien ce que disait Madame Logique, la prof de français de Mémoria : la fluidité de la narration dépend de la maîtrise des transitions entre les différentes étapes du récit, un maillon entraînant un autre...

— Et qu'est-ce que tu attends pour enchaîner, jacquot ? dit Coumba Djiguène, cassante. La Madame Logique en question ne t'a jamais demandé de te transformer en perroquet répétant ses cours sans les appliquer.

— Ce qui t'ennuie, Gros-lolos, c'est que, fourguée dans ton minable sac en batik, tu as été privée d'air à chaque voyage. Moi, j'ai vu Makhou et Mémoria quitter Bifurkheim pour Strasbourg. Ils étaient fin prêts, lorsque l'ami Max se présenta. Après avoir promis à la mère de Gertrude de lui régler, plus tard, ses loyers impayés, ils s'engouffrèrent dans la voiture, sans regrets, persuadés que leur aventure strasbourgeoise coulerait aussi fluide que le Rhin. Occupés à interroger Max sur

la ville qui s'apprêtait à devenir leur, ils ne prêtè-
rent aucune attention au paysage. Ce n'est qu'en
traversant Strasbourg qu'ils se mirent à tout
observer. Après avoir laissé la gare à sa droite,
tourné au feu à droite, direction Kœnigshoffen/
Eckbolsheim, la voiture filait, comme si elle ne
devait jamais s'arrêter. L'esprit de chaque pas-
sager courait à sa guise. *Rosam*, *Rosas*, *Rosa* !
En voyant la plaque indiquant « Route des
Romains », Mémoria se mit à ruminer les résidus
de leçons de latin disséminés dans sa tête. Elle ne
savait pas encore qu'elle aurait, par la suite,
l'occasion de mieux s'en souvenir. De la rue où se
trouvait leur nouvelle adresse, elle pourrait aller
acheter ses tomates rue Tite-Live, se promener
jusqu'à la rue Cicéron ou César-Julien. Rue,
ruelle ou avenue, avait-on pensé à attribuer quelque espace à Plaute ? Peu importait, elle le reli-
rait, plus tard. En essayant de se garer, Max eut
ces phrases pleines d'attention : « Déposez vos
bagages et venez dîner et dormir chez moi, ce
soir. Demain, je vous conduirai à la zone industrielle, à Vendenheim, chercher des ustensiles de
cuisine et le mobilier de première nécessité. »
Devant cet ange gardien autoproclamé, deux
grands sourires fendirent la pénombre crépusculaire qui, déjà, engloutissait la silhouette des
Sénégalais. Accomplissant sa mission de bon
cœur, l'ange réussit son créneau. Un quart
d'heure s'était à peine écoulé, quand la voiture
éclaira à nouveau la Route des Romains, en

direction du centre-ville. À l'arrière du véhicule, triturant son collier, Mémoria écoutait les deux hommes discuter. Makhou s'était spontanément réinstallé à droite du conducteur, comme durant le premier trajet.

— Eh oui ! s'extasia vieux Collier de perles. Ce soir-là, outre le fait de l'embellir, je l'aidais, je crois, à gérer sa timidité à l'égard de Max. Ce garçon avait l'air si parfait, fils de bonne famille, élégant et généreux de surcroît. Avant de bifurquer dans la rue cossue où se trouvait son immense appartement, il avait effectué quelques tours supplémentaires, offrant ainsi à ses compagnons une première découverte amicale des lieux : « Là, vous avez le musée d'Art moderne, maintenant, nous traversons le quai Turckheim. Derrière, vous avez la Petite France avec des promenades et des restaurants qui valent le détour. Voici la Place des halles, le rendez-vous des *proutes-proutes*, excusez-moi, c'est le mot d'une copine, je veux dire des petites pimbêches désœuvrées qui se shootent à la carte bancaire ; à droite, c'est la place de l'Homme de fer, et du fer il y en a : incrustés dans le bitume, les rails de notre tramway panoramique se croisent là ; juste à côté, vous avez la place Kléber, une statue du guerrier du même nom y monte la garde. Là, c'est la place de la République ; à droite, non, que dis-je, à gauche, avec un beau jardin propice à la réflexion qui leur fait face, la BNU, la Bibliothèque nationale universitaire et le Théâtre national de

Strasbourg. Nous voici place Broglie, parsemée de bancs publics où se bécotent les amoureux de Brassens, quand le souffle meurtrier de l'hiver ne les condamne pas à la discrétion ; la grande bâtisse, là, c'est l'Opéra. Au programme, *Tristan et Iseult*. La cathédrale n'est pas loin, mais on arrive chez moi ; bien sûr, je vous ferai visiter tout ça de jour. » En descendant de l'automobile, Mémoria fut contente de pouvoir, enfin, faire face à ses compagnons. Pendant un moment, elle s'était sentie exclue de la conversation. Makhou semblait ne s'intéresser qu'au discours de Max. Elle avait risqué une ou deux questions sur les lieux que désignait le guide hors pair, mais ce dernier n'avait pas répondu et semblait n'avoir d'attention que pour Makhou. Lorsque Max poussa sa porte en bois massif et lança joyeusement : « Vous voilà dans mon antre ! », Mémoria esquissa un sourire en pensant : « J'ignore quel loup tu es, mais j'espère que vous n'allez pas me prendre pour un pot de fleurs durant toute la soirée. »

— Mais enfin, ils n'y allaient pas pour du jardinage, fit Assiette. C'était l'heure du dîner. Qu'ont-ils mangé ce soir-là ? Ce devait être délicat, à pareille adresse... Regardez-moi, avec mes semblables, nous avons la bordure dorée ainsi que de magnifiques fleurs pour nous embellir, et c'était Max qui nous avait choisies pour nous offrir à ses nouveaux amis. J'imagine qu'il ne leur a pas servi n'importe quel plat dans de banales assiettes. Qu'en penses-tu, Montre, toi qui es toujours à hauteur de table, à renifler tous les mets ?

— Ah, ne m'en parle pas ! Pour un dîner français, mieux vaut ne pas arriver le ventre creux. Tu as le temps de fomenter un coup d'État, avant de toucher ton entrée. D'abord, ils te servent l'apéritif, ce qui veut dire que la cuisinière ou le cuisinier n'a pas encore lu la recette qu'on te vante déjà avec hardiesse. Fils de viticulteur, Max possédait le vin de son standing et n'avait pas hésité à proposer une variété de bouteilles à ses invités. Musulmane, encore respectueuse des interdits, Mémoria choisit l'ivresse amicale au détriment de la gaieté éthylique et demanda un jus de fruit. Mais comme elle n'accordait pour l'instant aucune confiance aux étiquettes, elle se contenta d'un verre d'eau minérale. Devant l'insistance de leur hôte, Makhou, qui avait déjà goûté au vin dans les grands hôtels dakarois, se laissa tenter par un petit blanc, sous le regard réprobateur de son épouse. En grignotant son bretzel, elle rassemblait les phrases assassines qu'elle prévoyait de lui assener sur la légèreté de son comportement : « Qui vide un verre vide un tonneau ! » ou encore : « Faux convaincu, facile à tenter ! » Au dernier bretzel, Max mit la table. Rien n'avait perturbé le subtil ordre de sa cuisine. De son gros sac de voyage, il extirpa un plat en terre cuite rempli de nourriture et le mit au four. Il recelait une choucroute aux trois poissons, suffisante pour nourrir un régiment. Max revenait toujours de chez ses parents la gamelle pleine. Inquiète quant à l'alimentation de son célibataire endurci, sa mère ne le laissait jamais quitter la demeure familiale sans munitions. « C'est mon plat préféré, dit-il, en déposant des montagnes fumantes dans les assiettes de ses invités. » Les cloches de dix heures sonnaient, lorsqu'il proposa un dessert dont personne ne voulut, le plat principal était trop copieux. Il servit deux cafés et une mirabelle, mit la Neuvième de Beethoven en s'extasiant : « Vous allez voir, c'est génial ! »

— Oui, ça l'était peut-être, insinua vieux Collier de perles, mais le cœur de Mémoria se mit à battre d'une façon bizarre. Après avoir bu son café, elle en scrutait le marc à la recherche d'une vérité pourtant évidente. Cette musique, si étrangère à sa culture d'origine, lui rappela soudain qu'elle se trouvait loin des siens, au bout du monde. Et puis, ce chœur semblait la huer, elle, la plante verte de la soirée. Il faut se perdre pour se chercher. Et l'immensité nous ramène à notre petit être. Lointaine musique, pourtant si proche. Cette flûte lui évoquait celle des chasseurs de son village, entendue toute petite. Jours de battue, jours de tohu-bohu, jours de saignée. La curée ! Inévitable, insoutenable. Pendant qu'elle y songeait, les autres dialoguaient. Aucun doute, la fausse note, c'était elle-même, elle ne savait pourquoi, mais quelque chose au fond d'elle lui disait qu'elle était de trop. Un binôme qui ne l'incluait

pas se dessinait dans le trio. Soudain, elle eut le
même dégoût qu'elle avait ressenti en regardant
Orange mécanique. Les mots qu'elle s'efforçait
de retenir devinrent des bêtes au vent : « Assez de
cette horreur grandiloquente, vous n'avez rien de
plus sobre ? » Surpris par l'ordre, Max interrompit sa discussion avec Makhou, plaça machinalement un CD de Brigitte Fontaine et reprit le fil
de son discours sans se laisser perturber davantage. « Quel choix ! Bravo pour le grand écart ! »
morigéna Mémoria, avant d'ajouter : « Je suis
fatiguée, j'aimerais bien me coucher. Je pense
que cela ne vous dérangera pas, tous les deux. »
Cette fois, Max fut déstabilisé. Il se leva et
s'adressa gentiment à celle qu'il considéra désormais comme « la chieuse » : « Voilà, c'est la
chambre d'amis, le lit est fait, je pense que vous
y serez bien, bonne nuit. » La trouble-fête ne
répondit pas, son opinion à elle était déjà faite.
Elle ignorait pour quelle raison exactement mais
elle en était sûre, elle n'aimerait jamais ce Max.
Affalée sur son lit, elle se demandait dans combien de temps son époux la rejoindrait. En attendant, elle ruminait : « Et que je vous trouve un
appartement, que je vous ramène avec moi à
Strasbourg, que je vous héberge spontanément,
que je vous cornaque pour vos premières cour-
ses ! Ce type est la pluie qui tombe le jour des
semailles. À force de tout proposer au bon
moment, il me donne l'impression de s'appro-
prier notre vie. Les gens qui vous donnent trop

sont des vampires : sous prétexte de vous faciliter l'existence, ils vous bouffent votre liberté. La *redevabilité* est une paire de menottes. Je n'en veux pas ! Il est bon d'avoir un ami lorsqu'on arrive dans un nouvel endroit, mais ce Max prend trop de place à mon goût. Et Makhou, aveuglé par je ne sais quelles œillères... » Au réveil, elle noya ses interrogations dans un bol de café, avala son venin avec deux croissants bien croustillants. À ses côtés, Makhou accueillait la nouvelle journée dans la bonne humeur, mais ce n'était pas lui qui avait posé le petit déjeuner sur la table à roulettes, en face du lit. Il s'était réveillé, en même temps que Mémoria, quand Max avait frappé à la porte en disant : « Room service ! Bonjour les amoureux ! Il est dix heures, voilà de quoi reprendre des forces, ensuite on file chercher de quoi équiper votre petit nid. » Ce fut ce jour-là qu'ils achetèrent pratiquement tout ce qu'ils avaient dans leur appartement.

— Y compris Télé, Téléphone, Machine à laver, Mini-chaîne et moi-même, Ordinateur ? Eh ben ! Une table, des chaises, un lit, un Frigo, de quoi cuisiner et même un aspirateur, je veux bien, c'est du mobilier de première nécessité, c'est d'ailleurs pourquoi les rapaces humains, les huissiers, ne peuvent les saisir. Mais puisqu'ils ne travaillaient pas encore, avec quels moyens pouvaient-ils s'offrir du superflu technologique ? Ce n'est pas crédible, comme dirait notre chère Montre, ce n'est pas logique.

— Oh, si, Ordinateur, répondit l'interpellée, notre jeune couple n'eut même pas à débourser un centime. L'ami Max avait également proposé de leur avancer la somme nécessaire. Comme participation à la crémaillère, il leur fit cadeau de tous les ustensiles de cuisine, dont un magnifique service à café. Mémoria protesta, en vain.

— Et elle protesta encore, pour une tout autre raison. Max était parti, après avoir aidé à l'installation du mobilier. Mémoria aspirait au cocooning, se réjouissait secrètement d'être enfin seule avec son homme, mais sa délectation fut de courte durée. Ils étaient encore assis côte à côte, à se reposer sur moi, Canapé, quand Makhou l'attrapa par les épaules et lui annonça jovialement : « J'ai une très bonne nouvelle ! » « Laisse-moi deviner : ton Max nous offre la cathédrale de Strasbourg ? » dit-elle en le regardant de biais. « Non, mais presque... poursuivit Makhou, préférant esquiver la pique, il m'embauche dès la semaine prochaine ! Comme tu le sais, il a un piano-bar en ville, mais rassure-toi, je ne ferai pas le serveur, si c'est le milieu de la nuit qui t'inquiète. En fait, il s'occupe surtout de la commercialisation des vins de son père, il me propose seulement de l'assister un peu dans le suivi de sa clientèle, et surtout dans la gestion de sa boîte ; la finance, ce n'est pas trop son domaine. » Il n'en fallut pas plus pour mettre le feu aux poudres.

— C'est exact. Moi, Table, j'ai assisté ce soir-là à ma première scène de ménage. Mémoria s'énerva, gesticula, vociféra à t'étourdir un sourd : « Assister ? Assister ! Chien de compagnie, oui ! Tu ne sais même pas quelle sera ta fonction précise ! Tu ne trouves pas ça suspect, toi ? Ce mec qui semble vouloir régler tous nos problèmes d'un coup ? Puisqu'il a une baguette magique, ne peut-il pas te trouver un boulot ailleurs ? Ah non ! Comme par hasard, il y en avait un, chez lui, qui n'attendait que toi ! L'appartement, lui ! Le job, lui ! Et puis quoi encore ? Je t'interdis de bosser pour lui ! » Makhou tenta de la raisonner mais rien n'y faisait, elle se montra intraitable.

— Oui, intraitable ! confirma Téléphone. Quelques jours plus tard, Makhou me décrocha, appela Max et déclina poliment son offre.

— Ah bon ? Je comprends maintenant pourquoi moi, Porte-monnaie, gardienne de leurs deniers communs, je suis restée désespérément vide pendant si longtemps.

— Oh, ne m'en parle pas, crissa Assiette. Moi j'étais pleine, mais pas des meilleurs mets : pâtes et patates au dîner comme au déjeuner, il y avait de quoi perdre patience.

— Les pauvres, renifla Mouchoir, ils ont quand même fini par trouver une autre source de revenus. N'est-ce pas ?

— J'imagine, fit Canapé dubitatif, mais avant, ils ont usé des centaines de tes semblables ; ils manquaient de tout, sauf de mouchoirs. Mémoria en fut la plus performante utilisatrice. Affalée sur moi, elle n'avait qu'un mot à la bouche, chaque fois que Makhou rentrait bredouille de sa recherche d'emploi. Elle sanglotait, suintait la nostalgie et répétait : « Nous ferions mieux de rentrer chez nous. Là-bas, au moins, nous n'avions pas à nous inquiéter pour un loyer et jamais je ne me suis demandé ce que j'allais manger le lendemain... Rien ne nous oblige à endurer cette galère », concluait-elle, oubliant momentanément les objectifs qui l'avaient poussée à suivre son époux en France. Pour couper court à ses jérémiades, Makhou lui lançait une réplique bien rodée : « Tu n'avais qu'à me laisser travailler chez Max. »

— Admettez que ses flèches ne pouvaient que lui revenir à la figure, remarqua la statue du chasseur. En visant Max, elle avait tiré sur elle-même. Mais cette attitude n'est pas rare chez les humains, il leur arrive de tourner leurs armes contre eux-mêmes. Le hara-kiri, ça existe, mais ça ne fait pas forcément gicler le sang.

— Soit, acquiesça Masque, mais n'oublions pas que la main qui taille la flèche, sculpte le couteau, creuse la tombe est la même qui soigne, sème la graine et récolte les fruits. La démence des humains s'arrête là où commence leur magie, et vice versa. Ainsi, ils ont assez de ressources pour faire pousser des fleurs dans leur propre boue. Mais pour arriver à cet état de sagesse, il leur faut certainement le temps d'éprouver leurs erreurs. Je pense que Montre ne me démentira pas.

— Du tout ! En effet, au bout d'un certain temps, Mémoria, consciente d'être à l'origine de leur mauvaise situation financière, se sentit coupable. Comme Makhou ne décrochait toujours pas d'emploi, elle se mit en quête d'une place de baby-sitter. Les noires étant réputées bonnes nounous – préjugé favorable, mais préjugé quand même –, elle n'eut aucune peine à se faire engager. L'expérience fut brève : les enfants étaient charmants, les parents accueillants, mais elle n'avait pas le cœur à chanter des tontines. Elle était venue en France partager une vraie vie de couple avec son mari et non pour torcher de petits culs roses. De plus, n'ayant jamais travaillé auparavant, la contrainte des horaires lui parut vite insupportable. C'est à ce moment-là que Makhou se fit engager comme manutentionnaire dans une grande entreprise, mais pour le chic, ils disaient : *logisticien*. Enfin rassurés, ils donnèrent de leurs nouvelles au pays. Comme ses parents ne savaient ni lire ni écrire, Mémoria leur envoya un dictaphone avec plusieurs cassettes vierges, plus une autre, où ils pouvaient entendre ceci en wolof : « *Sama papa ak sama yaye boye…* ! Mon papa et ma maman chérie ! J'espère que toute la famille se porte bien. Nous, nous remercions le Seigneur. Tout se passe au mieux. Makhou a trouvé un poste de *logisticien* (en français dans le message), dans une grande *Entreprise* (en français dans le message). Je sais que la vie n'est pas facile au pays depuis la dévaluation du

FCFA. Nous vous avons donc envoyé un petit mandat. Que Dieu vous garde ! Priez pour nous ! À bientôt. J'attends votre cassette de réponse. »

— Et moi, Ordinateur, je fus chargé de convoyer l'amour filial de Makhou. Comme ses parents à lui étaient lettrés et connectés *high-tech*, il se contenta d'un mail : « Salut Pa. Salut Mma. Ici, tout roule. Je n'ai pas trouvé d'emploi en tant que comptable, mais j'ai un job de logisticien dans une grande boîte. Mémoria va bien et vous passe le bonjour. Sachant les affaires de papa moins florissantes, je vous ai envoyé, ce matin, un mandat Western Union, n° 1-2-3 × 4 sous, code : *logisticien*. Portez-vous bien. À plus. »

— Telle que je connais la mère de Mémoria, commenta vieux Collier de perles, elle devait annoncer fièrement à ses amies dakaroises, avant qu'elles n'aient fini de lui demander des nouvelles de sa fille : « Ma fille est en Frâânce avec son mari, Makhou est *Lozisticien* dans une grande *entarprisse* à *Esrasbourre* ! » Enfin, je ne vous apprends rien : quand fille brille, mère étincelle. C'est ainsi sous tous les cieux. Sauf qu'en l'occurrence, le gendre manutentionnaire devait soulever ses cartons et la grosse tête de sa belle-mère. Car si les parents de Makhou se contentaient des mandats espacés mais spontanés de leur fils, ceux de Mémoria, eux, réclamaient régulièrement leur dû.

— C'est terrible, constata Coumba Djiguène. Mes gros seins à moi n'ont jamais servi à…

— Eh ben ! T'as loupé quelque chose. Ha ! Ha ! ricana Canapé, quand je pense au roucoulement de Mémoria dès que Makhou effleurait les siens par mégarde...

— Mais lâche-moi ! Tu n'es qu'un obsédé. Je veux dire que mes seins n'ont jamais servi à nourrir qui que ce soit. Au lieu de faire des enfants, ceux qui rentabilisent leur progéniture feraient mieux de coter leurs ovules et leurs spermatozoïdes en Bourse. S'il faut allaiter son bébé et lui demander ensuite d'en payer le prix durant toute sa vie, les gynécologues, les banquiers et les avocats devraient trouver une méthode pour proposer aux fœtus des contrats *in utero*.

— Pauvre Mémoria, elle devait honorer un contrat social qu'elle n'avait pas signé, fruup, fruup, renifla Mouchoir, ému.

— Mais arrête de snifer ta bêtise ! grinça Montre. Mémoria n'a pas choisi ses parents, pas plus que tu ne choisis, toi, les tarins que tu mouches ! Tu n'es qu'un pauvre idiot qui mord à tous les hameçons, même à ceux mal aiguisés de cette Coumba Djiguène abrutie par ses gros lolos ; d'ailleurs, si elle n'était pas taillée dans du bois sec, on pourrait dire que ses hormones lui montent à la tête.

— Oui, c'est ça, l'aumône obligatoire, renifla encore Mouchoir, notre Mémoria devait donc donner cette aumône à sa mère qui la réclamait.

— Mais déplie-toi, boule de chiffon, et tends bien tes oreilles : je n'ai pas dit aumône, j'ai dit horrrr-mo-nes !

— Et c'est quoi, ce truc qui monte à la tête que je n'ai pas ? ironisa Coumba Djiguène en écrasant ses seins sur Montre.

— Aïe ! Tu m'étouffes ! Va demander à ton gynécologue, puisque tu te prends pour une femme, espèce de bois mort !

— Montre ! Surveille ton langage ! tonna Masque.

— Oh, excuse-moi Masque, mes paroles ont dépassé ma pensée.

— Je sais, je sais, toujours en retard ou en avance, le dérèglement t'est familier ; tu roules ta mécanique, mais tu n'es qu'un vulgaire rouage électronique.

— Qu'est-ce que tu as contre l'électronique ? rugit Ordinateur. Du Frigidaire au Téléphone en passant par cette minuscule montre que tu méprises, nous sommes nombreux, ici, à pouvoir défendre notre honneur électronique face à ta race de bois mort !

— Répète ce que tu viens de dire, Ordinateur ! menaça Table, déjà perchée sur un pied. Répète, si tu en as le cran, et je te pète l'écran !

— Ouf ! attention, m'écrasez pas, gémit Montre. Je me demande ce que je fous dans une dispute de gros costauds.

— Eh, petite rondelle, tu t'en prends maintenant aux gros, c'est moi qui vais bientôt te remettre tes aiguilles en place, éructa Canapé.

— Je ne suis pas une bagarreuse, moi, je ne donne des coups que pour sonner l'heure, et je pense qu'il est temps d'accélérer notre réunion. Bois mort, électronique ou porcelaine, peu importe. Face au deuil, nous devons rester unis et continuer à rassembler nos souvenirs afin d'aboutir à la biographie complète de Mémoria.

— Je suis d'accord, approuva Masque, apaisé ; Montre fait preuve de bon sens. Nos questions d'appartenance ne mènent à rien, laissons ce vice identitaire aux Hommes. D'ailleurs, la mort étant ce loup qui guigne tous les troupeaux du même œil, les agneaux de Dieu devraient se sentir égaux et peindre leurs drapeaux d'une même couleur. Mauve ! Bref, puisque chacun trouve son grenier assez grand pour contenir tout le grain du monde, labourons notre lopin de terre. Revenons à cette chère Mémoria, reconstituer son existence nous permettra d'appréhender la nôtre, car nous sommes égaux devant ce questionnement, nous poursuivons sa trace comme les humains leur quête existentielle. Mais auparavant, je vous propose un jeu : au lieu de nous déchirer sur nos différences, essayons plutôt de citer tout ce que nous avons en commun.

Les querelles momentanément suspendues, chacun se creusa la tête. Aucun objet ne voulant paraître plus bête que son voisin, les réponses fusèrent, de toutes parts. En les écoutant, Masque savourait son succès diplomatique et s'amusait de voir sa vieille méthode validée : il venait d'appliquer une des tactiques traditionnelles de conciliation et se remémorait toutes ces haches de guerres, enterrées à peine brandies, sous l'arbre à palabres de son village d'origine. Là-bas, il y a très longtemps, lorsqu'un conflit éclatait, le conseil des sages obligeait les belligérants à réciter leur arbre généalogique, si bien que la découverte d'un ancêtre commun avait valeur d'un traité de paix : on ne verse pas son propre sang. Cette règle garantissait la paix des braves, mais arrangeait également les poltrons, car, après d'innombrables générations issues d'alliances intra-muros, toutes les lignées comptaient une multitude d'intersections. Là-bas, où la parenté se déploie, paratonnerre couvrant toutes les têtes, on ne craint plus l'explosion de la furie des Hommes, mais celle des gènes qui, sans cesse, se retrouvent, se télescopent, s'emboîtent, se chevauchent, stockent les mêmes informations et, à force de ne plus se différencier, commencent à charrier la bombe à retardement des maladies dégénératives. Dans ces contrées pacifiées par les liens du sang, on voudrait seulement que la santé mentale des habitants soit aussi assurée que la paix sociale et on se désole de voir la biologie répétitive atteindre ses limites.

VII

L'assemblée apaisée, les causeries tirèrent Masque de sa rêverie. Il reprit son rôle de modérateur et entreprit de redistribuer la parole.

— Alors, il me semble que nous parlions des finances de nos voyageurs, dit-il. Montre, toi qui sais compter, le jeune couple arrivait-il à joindre les deux bouts en découpant l'unique paie de Makhou comme une galette des rois, pour envoyer au pays ?

— Oh oui ! Crésus ne figurait pas parmi tous les noms latins des rues qui les environnaient, mais pour un couple sans enfant, ils avaient largement de quoi assurer le quotidien, et même quelques agréments.

— Moi, Assiette, je peux en témoigner. Ce fut à cette époque-là que je découvris la cuisine du monde entier, sans sortir de la mienne. Ils invitaient des voisins, des amis, et même Max s'y joignait souvent. Avant, pendant et longtemps après les repas, les éclats de rire emplissaient la maison. De temps à autre, les verres se donnaient des coups de tête, ajoutant ainsi à la musique des notes aiguës qui se dissolvaient entre les lèvres avides. Les convives apportaient toujours le gâteau pour le dessert, car ni Mémoria ni Makhou n'excellaient dans la pâtisserie française qu'ils savouraient maintenant sans retenue. Ils prétextaient d'une part de tarte à finir pour se servir un nouveau café et arguaient d'un fond de tasse pour piqueter tranchette. Quand, après les sempiternelles blagues d'usage, le sommeil alourdissant les langues, tout le monde partait, les tourtereaux, exténués, se jetaient dans leur lit, sans préambule. Les rares fois où leurs convives les quittaient à une heure raisonnable, ils s'offraient une tisane en commentant la soirée ou faisaient leur vaisselle en s'appelant « chéri(e) ». J'ignore encore le sens de ce mot mais – comme je vous l'ai déjà dit, je crois que ça signifie *embrassons-nous* – son écho se perdait, à chaque fois, étouffé d'un baiser suivi de sourires ou de murmures confus. C'est peut-être ce que les humains appellent *les sentiments*, des trucs invisibles qui voyagent dans des mots magiques.

— Occupe-toi de nourriture et pas de sentiments que tu ne pourrais contenir. Moi, Canapé, je sais bien à quoi j'ai assisté à chaque fois que ce mot *chéri* a été prononcé en ma présence. Allongée sur moi, Mémoria, lascive, usait de tous ses charmes, attirait Makhou entre ses dentelles et le guidait tendrement dans les méandres de…

173

— Voyons, un peu de tenue, intima Masque, le président de séance. Perché sur mon mur du salon, j'ai assisté à ce genre de chose mais ça n'allait pas aussi loin que vous voulez l'insinuer. Enfin, je ne les suivais pas jusqu'au lit, mais nos amis Matelas et Oreiller vont pouvoir nous renseigner.

— Moi, Matelas, je n'ai pas vu de quoi choquer une nonne. Hormis quelques baisers furtifs et les frôlements calculés de Mémoria, les nuits étaient chastes. Oreiller, qui trônait à hauteur de murmure, détient peut-être une autre version des faits.

— Non, pas vraiment, à part quelques chuchotements prometteurs rarement suivis d'effet. Je dormais souvent serré dans les bras de Mémoria. Mais une ou deux fois, je les ai vus s'étreindre, se déshabiller l'un l'autre, se caresser si tendrement que j'en frémissais. Puis ils luttèrent, firent tant de manières que je me retrouvai par terre. À leurs gloussements, je devinais qu'ils étaient certainement en train de…

— On a compris ! coupa Coumba Djiguène, prude.

— Non, pas du tout, rouspéta Montre. Oreiller risque de nous induire en erreur avec ses hypothèses. Comment pouvait-il à la fois deviner et dire *certainement*, puisqu'il n'y a que l'incertain qui se devine ! La langue française est une maison où chaque mot a sa chambre, son espace sémantique et même les mots ne mettent pas n'importe qui dans leur lit. Chacun de nous doit raconter seulement ce dont il est absolument sûr.

— Absolument, renchérit Masque, sous l'arbre à palabres le sage des sages est celui qui ne dit pas *peut-être*. Mais relativisons, relativisons, ce n'est que lorsqu'il tire la conclusion d'un débat qu'il a d'abord bien écouté. Montre, dis-toi que les Hommes ont longuement tâtonné avant de réussir à te créer, à donner un sens à la rotation de tes aiguilles ; alors, s'ils doutent tant en maniant leur propre science, imagine-toi combien hésitante doit être leur marche sur la ligne tortueuse de l'existence. Mémoria n'échappait pas à cette contingence : son but délimité et fixé d'avance, le cœur tant convoité de Makhou, ne s'offrait pas à elle pour autant.

— Ah non ! Il ne pointait même pas à l'horizon. En bonne Montre, j'ai compté des heures, des jours et des nuits, des semaines et des mois pendant lesquels elle s'astreignait à faire de son homme un mari, sans grand succès. L'encens sénégalais, le thiouraye, embaumait leur appartement, Dialdiali ne quittait plus sa taille et une pile de bëthios attendait de servir. Makhou était attentionné mais pas ardent. Mémoria s'inventa des stratagèmes. Elle traîna son époux dans l'obscurité des salles de cinéma. Elle l'y frôlait devant des bobines suggestives, s'agrippait à son bras pendant les traversées nocturnes de cette belle ville, lui murmurait des choses tendres, mais en dehors de son propre sourire, aucune étincelle n'illuminait leurs nuits.

— La pauvre, ronchonna Mouchoir, elle devait se décourager ?

— Loin de là, fit vieux Collier de perles. Mémoria était de celles que la résistance rend plus amoureuses. C'était une romantique. L'amour tel qu'elle le rêvait, immense et sublime, lui donnait la force de poursuivre sa quête.

— En somme, plus l'objet désiré est inaccessible, plus les humains lui trouvent de valeur, ponctua Masque.

— C'est ça. Mémoria cherchait la corde sensible de Makhou, comme un diamant dans un tas de boue. Puisque les films vus ensemble ne réchauffaient guère la situation, elle se tourna vers des représentations plus empiriques. Une mimesis parfaite : des êtres de chair et de sang exprimant de beaux sentiments avec conviction feraient peut-être battre le cœur de Makhou. Moi, Collier de perles, je me souviens d'un soir où elle me sortit de ma boîte, m'enfila et convainquit Makhou de l'emmener à l'Opéra voir *La Traviata* de Verdi. Parfaite en Violetta, elle fut déçue par la tiédeur de son Alfredo, ignifugé dans son mutisme. Une autre fois, elle le traîna jusqu'à la Filature de Mulhouse, où l'on donnait *Tristan et Iseult*. Mais, comme à chaque retour, malgré ses commentaires dithyrambiques, elle était bien obligée d'admettre l'échec de sa démarche. De ces spectacles grandiloquents, son époux ne retenait que le kitsch bourgeois et le plaisir de l'y avoir accompagnée. Fatigué de l'entendre s'extasier à propos de ce qu'il considérait comme une banale récréation, Makhou s'endormait, sans l'avoir embrassée. Tous seins dénudés, elle veillait tard, esseulée, et ne savait plus à quel saint se vouer.

— Dis plutôt qu'elle se vouait à tous les saints ! Moi, Montre, j'ai sonné une ou deux heures de sa vie à la cathédrale d'Amiens.

— Elle, une musulmane ? À la cathédrale d'Amiens ? questionna Table. Et le Coran qu'elle posait sur moi ?

— Elle le lisait aussi. Parfois, quand Makhou était au travail, elle priait Dieu d'améliorer sa vie de couple et de lui accorder un ou deux enfants. Le syncrétisme permet de frapper à toutes les portes divines, une double garantie, disait-elle.

— Mais alors, pourquoi aller à la cathédrale d'Amiens ? Tant qu'à faire, il y en a une à Strasbourg. Et puis, une musulmane qui va prier dans une cathédrale, pourquoi ne pas aller implorer Notre Dame de Fatima, embrasser le mur des lamentations à Jérusalem ou brûler une douzaine de bâtons d'encens au temple bouddhique de Bangkok ?

— Décidément, Table, figée dans tes certitudes, tu as hérité ce côté sectaire des hommes, intervint Masque. D'abord, sache que les ancêtres de Mémoria n'étaient ni musulmans ni chrétiens. Animistes ou païens, ils avaient la liberté de célébrer leur culte où bon leur semblait. Avant l'arrogance des lieux de culte en béton, ils savaient communier dans la sobriété et entendre la voix protectrice de la nature dans le feuillage touffu du bois sacré. Seulement, leurs descendants sont comme des buvards et absorbent tout ce qu'on leur déverse. Ils méprisent leurs aïeuls, renoncent à leurs propres croyances et défendent corps et âme celles d'autrui. C'est peut-être ça, le respect de soi ? Moi, Masque, maintenant, ils me trouvent bizarre, folklorique ou même pire, primitif. Eh oui, c'est comme ça qu'ils disent, avec hauteur. Mais des consciences, je suis la première. Ma bonne mine figure leurs joies. Mes grimaces reflètent leurs peurs. Mes fissures sont les entailles de leur âme. Ma cavité est l'écrin de leur être. Masque sérère de veillées funéraires, je permettais le dialogue avec l'esprit des morts. Masque dogon, aux scarifications profondes, sur moi sont gravés les secrets de la forge. Je suis le masque initiatique, j'apprenais au berger et à la bergère comment inonder un lac pour faire pousser des roseaux. Discret, j'écoutais la musique du lit. Les yeux baissés devant les femmes comblées, je bénissais les naissances qui honoraient les hommes. Et même les rois me confiaient leur sceptre. Je suis celui que l'on vénérait, celui qui intercédait devant Cérès, Vénus, Cupidon et Morphée. En moi dorment les ancêtres. Signifiant toutes les règles de la vie sociale, je préludais aux gais comme aux tristes événements, que nul ne clôturait sans moi. Mais maintenant, les Hommes ne me prient plus, ils m'exposent dans leurs salons ou dans leurs musées. Ils m'abandonnent à l'indiscrétion de la foule irrespectueuse, alors que ma dignité est dans le secret des cours. Je veillais sur Mémoria, comme ses parents l'avaient voulu, mais elle ne se fiait pas à ma puissance sacrée, elle préférait porter ses tourments dans des lieux figurant l'orgueil des Hommes. Bref, elle croyait à sa façon et cherchait des solutions où elle pouvait, ne la blâmons pas pour autant. D'ailleurs, si Dieu a fait l'Homme à son image, pourquoi n'aurait-il pas lui-même deux oreilles, pour écouter les prières venues de toutes parts ? Église ou Mosquée ? Oreille gauche ou droite ? Peu importe dans laquelle on crie sa détresse, l'essentiel, c'est d'être entendu.

— Être entendu de Dieu, c'est ce que Mémoria souhaitait en allant prier à la cathédrale d'Amiens. Elle se servit d'arguments touristiques pour arracher le consentement de Makhou : ça allait leur faire un souvenir culturel commun. En vacances au pays, ils pourraient dire qu'ils avaient vu ce célèbre monument historique. Pour impressionner les cultureux parmi leurs amis, ils préciseraient que cette cathédrale datait du XIIIe siècle, que la pose de la première pierre avait eu lieu en 1220, qu'elle fut classée par l'Unesco au patrimoine de l'humanité en 1981. Mais, au-delà de ce flonflon chiffré, une caractéristique supplémentaire, lue dans un guide touristique, motivait Mémoria : *en cheminant dans le labyrinthe, on pouvait y voir la Jérusalem céleste s'accomplir*. Alors, pourquoi son couple ne s'y accomplirait-il pas ? L'hypothèse valait la peine d'être vérifiée. Dieu réunit les siens ! Elle y alluma des cierges, murmura un unique vœu. Mais de cette pieuse excursion ne sortirent qu'une fraternelle proximité et quelques photos, ratées pour la plupart.

— On s'en fiche des photos, elle ne s'appelait pas Yann Arthus-Bertrand. Mais dites donc, pour son couple ! Même Dieu ne voulait pas l'aider, remarqua Assiette. Pourtant, les humains disent qu'Il est le Tout-Puissant, qu'Il donne tout !

— Réfléchis donc, Assiette, dit Ordinateur. As-tu déjà vu Dieu te remplir de nourriture, sans la faire passer par la main d'un être humain ? Même la magnifique cathédrale où elle formula ses vœux a eu besoin de biceps. Dieu a donné le cerveau, à chacun de penser, inventer et tracer ses pistes pour atteindre ses objectifs.

— Et Mémoria cherchait de nouvelles pistes, ajouta Montre.

— Mais pourquoi s'acharnait-elle à vouloir séduire ce Makhou ? lança Canapé, agacé. Après tout, ils étaient ensemble, partageaient tout, son mari était très gentil avec elle, s'occupait bien d'elle et lui donnait même l'argent qu'elle envoyait sans cesse à ses parents. Bien logée, le ventre plein, que voulait-elle de plus ?

— Comment peux-tu dire ça ? s'insurgea Coumba Djiguène. Pour combler une épouse, il faut lui remplir bien plus que le ventre ! Quoi qu'en pensent les féministes camionneurs, une part non négligeable du bonheur des femmes dépend du regard des hommes et du doux usage qu'ils font ou pas de certaines rigidités. Un mari qui ne fait que roupiller à vos côtés, ça n'a rien de flatteur. À la place de Mémoria, même les frigides auraient déjà fait leurs valises.

— Figure-toi que Makhou le lui avait proposé, une nuit où, déprimée, elle pleurait en me serrant dans ses bras. Moi, Oreiller, j'ai bien entendu quand il lui a dit : « Je te trouve si malheureuse ces derniers temps. Tu as peut-être le mal du pays ? Puisque tu ne travailles pas, si tu veux rentrer, je te paierai le billet, ça te fera du bien de revoir la famille. Je m'en veux de t'avoir emmenée si loin de chez nous. » Mais elle refusa : « Je n'ai pas le mal du pays, ce n'est pas ça qui me rend triste. Tu sais bien ce que je veux, je veux rester, ici, avec toi, avec mon mari, rugit-elle, je n'irai pas là-bas sans toi. »

— Cette proposition de retour accentua l'abattement de Mémoria. Elle ne fit plus aucun effort pour égayer leur quotidien. Au contraire, elle entretint son air mélancolique car, depuis l'épisode de la tromperie avec Tamara, elle savait à quel point Makhou était capable de tendresse et d'attention lorsqu'il se sentait coupable. Ce garçon, une topaze impériale, se disait-elle, il ne brille que dans la terre argileuse, dans la gadoue des situations compliquées. Forte de ce constat, elle se porta malade. Pour mieux ferrer son homme, elle trouvait assez de forces pour lui mitonner des plats savoureux, mais au moment du repas, feignant nausées et céphalées, elle touchait à peine à son assiette et s'enfuyait se recroqueviller dans son lit. Après quelques dîners solitaires, Makhou n'eut plus le cœur assez accroché pour terminer, seul, ses festins. Il ignorait que son épouse ne dormait jamais le ventre vide. Ayant découpé les magazines *perdez cinq kilos en une semaine*, elle se gavait de salades, de haricots verts et de pommes durant la journée. Les semaines passaient, le corps de Mémoria rétrécissait. Inquiet, Makhou l'emmena plusieurs fois chez le docteur Palpetout, une adresse réputée, fournie par Max. Svelte et souriant, le bienveillant docteur Palpetout partageait avec sa nouvelle patiente le goût des lettres. En regardant bouger sa moustache grisonnante et le friselis de ses sourcils, on pouvait deviner s'il avait aimé ou détesté le dernier roman qu'il avait lu et dont il ne tardait pas à entretenir la jeune femme. La consultation commençait lorsqu'ils avaient fini de jouer les critiques littéraires avertis et d'échanger des conseils de lecture. Un jour, Mémoria se présenta, la mine soucieuse. Le docteur Palpetout lui tapota le dos, lui fit tirer la langue, palpa ses seins, tâta sa thyroïde, prit sa tension mais ne diagnostiqua rien de plus

qu'une neurasthénie. Il ordonna quelques analyses, par acquit de conscience, détecta une
légère anémie et prescrivit une poignée de gélu-
les pour y remédier. Makhou s'empressa d'acheter l'ordonnance, sans se douter que c'étaient ses
W-C qui prendraient régulièrement le traitement. Moi, Montre, je ne puis vous dire combien
de temps dura ce petit manège.

— Le temps de creuser en moi la forme de
son corps ! s'exclama Canapé. Eh oui, ce fut une
période très douloureuse pour moi. Toute la
journée, Mémoria se vautrait sur moi et ne se
levait qu'à une ou deux heures du retour de son
compagnon. Elle partait cuisiner vite fait, se
lavait et revenait l'attendre, allongée, avec son
air d'orpheline de guerre. Précédé de son regard
angoissé, Makhou arrivait parfois avec un
paquet de chocolat ou un bouquet de fleurs.

— N'importe quoi ! fit Coumba Djiguène, en
remontant ses lolos. Du chocolat pour une neu-
rasthénique, je veux bien, mais un bouquet de
fleurs, encore une façon de singer les manières
des Blancs.

— C'était quand même gentil, souffla Mouchoir.

— Gentil, gentil ? Une calebasse de patates
douces, un panier de mangues, un sac de riz ou
de manioc, une robe bogolan, douze yards de
wax ou un bon gros billet de banque, ça c'est
gentil ! Mais des fleurs, à foutre à la poubelle
dans les trois jours qui suivent, enfin, ce n'est
pas une habitude de chez nous !

— Du calme, ma chère Coumba Djiguène, dit Masque d'une voix doucereuse, une dame comme toi mériterait toutes les délicatesses du monde : une calebasse de patates douces, un panier de mangues, un sac de manioc, une robe bogolan, douze yards de wax, un bon gros billet de banque et des fleurs aussi.

— Je vous l'avais dit ! cria Chasseur, Masque courtise Coumba Djiguène d'une façon éhontée ! On dirait que ça l'amuse de chasser sur mes terres. Pardi ! Je sais ce que je ferais d'une bonne flèche empoisonnée au *sababe* !

— Arrête, Chasseur, supplia Coumba Djiguène, je connais ton courage, mais toute vérité n'est pas bonne à dire.

— Sauf quand on la pense vraiment !

— Laissons Chasseur à sa colère, du reste injustifiée. En tant que président de séance, je refuse d'entrer dans ces querelles stériles. Je disais donc qu'aucune délicatesse n'est jamais de trop pour une dame qu'on aime. Peu importe qu'elle soit héritée des mœurs d'origine ou d'une coutume venue d'ailleurs, l'essentiel, c'est qu'elle soit significative, appréciable et appréciée par celle qui la reçoit. Sache, ma chère Coumba Djiguène, qu'un des avantages de l'étranger, c'est la possibilité de prendre dans la culture d'accueil ce qu'il y a de meilleur. Makhou n'offrait peut-être pas de fleurs au Sénégal, mais le fait d'avoir adopté cette pratique en France ne pouvait qu'améliorer ses relations humaines. Il n'y a pas que les cadeaux utiles qui font plaisir. Tu as peut-être entendu le conte du vieux berger : trop vieux pour encore battre la campagne, il avait dû se résoudre à laisser son petit troupeau de sept têtes entre les mains de son jeune fils. Tous les matins, celui-ci quittait la maison pour se rendre en brousse où il s'occupait des bêtes qui constituaient l'unique richesse de sa famille. Chaque soir, il rapportait du lait pour nourrir les siens. Mais la sécheresse s'abattit et fut sans fin. Le lait se raréfia et vint le moment où le petit berger rentra, flanqué d'une outre vide, les sept bovins étant morts les uns après les autres. Tout le monde, dans la famille, avait compris, mais personne ne se sentait la force d'évoquer le drame. Derrière le silence du père, vieux et malade, on devinait une douleur abyssale : il avait hérité un troupeau de son père, qui avait hérité de son propre père, qui avait lui-même hérité, etc. Un soir, dans sa chambre, il dit à sa femme : « Voilà la honte de ma vie : je vais mourir sans rien laisser à mon fils, même pas le bœuf de mes funérailles. Pas une tette ! Berger, fils de berger, devra-t-il acheter le lait de libation de mes masques funéraires ? » Puis, inconsolable, il se mit à hurler en tendant les mains au ciel : « Je veux des vaches pour mon fils ! Seigneur, j'ai été bon berger et bon croyant, je mérite votre paradis, mais je le veux maintenant, sur terre ! Troquez-moi mon paradis contre des vaches pour mon fils et j'accepterai le pire de vos enfers ! » Dans sa chambre, le fils avait entendu la plainte de son père. Il ne savait que faire pour lui redonner la joie de vivre. Il aurait voulu lui offrir tous les troupeaux du monde, mais il n'avait que les squelettes de ses bêtes. Alors, le lendemain, il se rendit en brousse pour méditer. À son retour, il alla trouver son père dans sa chambre, une bouse de vache à la main : « Tiens papa, lui dit-il, un cadeau pour toi, c'est une vache. » Ému, le père le remercia. Tous les jours, une année durant, le jeune berger réitéra son geste. On ne comptait plus les bouses de vache alignées devant la case du vieil homme. Revigoré, le père convoqua tout le village, afin de remercier publiquement son fils : « Regardez, tout ça, ce sont des vaches, je suis un riche berger, mon troupeau est immense. Je remercie mon fils qui m'a rendu si riche, riche d'amour. » Tu vois, ma chère Coumba Djiguène, les cadeaux, quels qu'ils soient, servent seulement à ça, à donner de l'amour. Ce sentiment n'étant pas quantifiable, pourquoi devrait-on évaluer les moyens de le susciter ?

— N'empêche que les humains évaluent parfois leurs sentiments, contredit Canapé. Ils attendent toujours le maximum de leur conjoint ou de leur conjointe. À la zone commerciale, où j'étais exposé avec mes semblables, j'en ai vu, des couples se disputer. Il n'y avait pas que les Mesdames Chanel N° 5 qui exigeaient de leur compagnon le canapé le plus cher, même les petites proutes-proutes endimanchées m'essayaient avant de se détourner de moi, attirées par une étiquette plus flatteuse. Je me demandais si elles ne cherchaient pas juste de quoi soutenir leurs derrières. Mémoria n'avait pas fait la difficile en me voyant, et j'étais heureux d'être enfin choisi. L'honneur d'un canapé, c'est de supporter des fesses, même si cette tâche peut se révéler ingrate. Pendant la fausse maladie de notre regrettée Mémoria, écrasé, ratatiné, j'aurais tout donné pour retourner à Vendenheim. Imaginez mon soulagement, le jour où elle recommença à me quitter durant des heures. Bref, dans notre vie de meubles, comme dans celle des humains, chacun porte son fardeau.

— Moi, Chasseur, j'étais placé non loin de la porte d'entrée de l'appartement. Lorsqu'elle ne passait plus la journée sur Canapé, je la voyais sortir, mais j'ignore où elle se rendait. Peut-être que Montre, qui l'accompagnait partout, le sait, elle ?

— Tout à fait ! Mémoria avait décidé de porter sa croix autrement, d'une façon active. Lassé de la voir léthargique, Makhou lui avait dit un jour : « J'ai reçu mon treizième mois. Cette fois, après avoir envoyé les mandats pour la famille, il nous en restera pas mal. Je pense que c'est le moment d'améliorer ta garde-robe. Au lieu de rester enfermée ici, quand je suis au boulot, tu pourrais faire un peu les magasins, ça te changerait les idées. » Elle prit l'argent sans broncher.

Mais, au lieu des boutiques de vêtements, elle se rendait dans les librairies.

— Pourquoi dans les librairies ? interrogea Canapé. Quand on cherche l'amour, on doit plutôt faire une razzia de dessous chics.

— T'as vraiment une analyse au ras des fesses, le musela Montre. À t'entendre, Mémoria devait réveiller François de Bourbon, s'en servir comme guide dans le Lupanar de Pompéi pour stimuler sa libido ou, plutôt, celle de Makhou. Figure-toi qu'il existe des ouvrages qui permettent de s'épargner tant de peine. Ce que nous savons du sofa de Crébillon nous vient des livres et sans *La Princesse de Clèves*, nous n'aurions rien su des amours du duc de Guise. Mémoria n'avait pas reçu d'éducation sexuelle – chez elle, les bébés pullulent mais nul ne sait comment on les fait. En lui offrant bëthios et encens pour son mariage, sa mère était restée allusive.

— Voyons, tempéra Coumba Djiguène, elle n'avait pas besoin de plonger sa main dans la marmite de sa mère pour savoir que ça chauffait dedans. Et puis, pour ces choses-là, le corps lui-même réclame ce qu'il lui faut le moment venu.

— Il ne suffit pas d'entendre les cloches pour savoir dire une messe ! Moi, Montre, je puis vous assurer qu'il avait fallu beaucoup de temps à Mémoria, avant de se faire une idée de la chose. Après de complexes cours de biologie, elle ne regardait plus les femmes de la même manière : puisque chacune de ces frêles créatures porte en elle deux trompes, une femme équivaut donc à deux éléphants, se disait-elle. Elle se demandait par quel mépris de leur grandeur on en arrivait à appeler certaines d'entre elles des poules. Mais, en dessinant un ovule dans son cahier de travaux pratiques, elle avait fini par comprendre : comme les gallinacés, les femmes pondent des œufs, seulement les leurs ont une membrane souple que viennent percer de minuscules spéléologues acheminés par un oléoduc en chair. Malgré toutes ses savantes découvertes, elle trouva son professeur de sciences naturelles bien en dessous de ses attentes : pourquoi les hommes ne seraient-ils pas des femmes comme les autres, puisque eux aussi font des œufs qu'ils gardent précieusement dans une poche faite de leur propre chair ? Ce prof laissait toujours des questions importantes en suspens. Après les œufs, les cavités, les membranes et la tuyauterie, il n'avait rien dit sur le coup de foudre, les frissons, les pâmoisons et ces moiteurs entre les jambes des filles, quand les garçons faisaient les durs à la gym. Mémoria soupçonnait tous ses professeurs : ces virtuoses du verbe étaient également des seigneurs de l'escamotage qui ne livraient qu'une part infime de leurs connaissances et en réservaient l'essentiel à leur usage personnel. Des salauds, tous des salauds, comme son père qui la chassait du giron maternel, quand l'encens du soir échappait de la chambre parentale et enivrait la maisonnée. Elle en était là, lorsque le professeur de français entreprit de leur faire étudier *L'Amant* de Marguerite Duras. Elle admira sa générosité et se proposa pour le premier exposé, pendant que ses camarades jouaient les fausses timorées. En tournant les pages, elle entendit le froissement des froufrous dans la littérature et, puisque les jupes ne se retroussent pas toutes seules, elle voulut savoir comment faire naître le vent de désir qui les soulève. Des œuvres qui ne figuraient pas dans son programme scolaire lui donnèrent de parfaits exemples, poussant le bouchon encore plus loin que *L'Amant*. Voilà pourquoi, désemparée devant la froide présence de son mari, elle orienta leurs loisirs vers la lecture.

— Ne me dis pas que tous les livres qu'ils avaient dans leur bibliothèque, sans compter ceux qu'ils laissaient ostensiblement sur moi, Table, c'était juste pour la coquinerie !

— Je savais que vous feriez vos mauvaises langues. Le temps des Hommes étant compté – et c'est mon rôle de Montre de remplir cette lourde tâche – il leur faut parfois aller droit au but.

— C'est bien ce que je dis, elle voulait juste apprendre à *sexer*.

— Tais-toi, espèce de planche ! Et, puis on ne dit pas *sexer* mais coucher, et ce n'était pas vraiment ça qu'elle cherchait, elle voulait apprendre à séduire Makhou.

— Et plus si affinités, n'est-ce pas ? Puisqu'elle devait aller droit au but, comme tu dis, admets qu'en l'occurrence, *sexer* ou *séduire*, cela revient au même. Tous les chemins de Mémoria ne menaient pas à Rome, mais au lit !

— Nous aussi, nous devons aller droit au but ! se fendit Mouchoir, puisque les heures qui nous restent sont comptées et mènent tout droit au kétala. Tenez, notre fidèle visiteur, même s'il n'était pas toujours poli, il y avait quelque chose de rassurant à le savoir en notre compagnie, or là, il semble s'être détourné de nous. Depuis quand ne l'a-t-on plus vu ici ? Moi qui croyais qu'il finirait par s'attacher à nous et qu'il pourrait, peut-être, nous adopter. Mais...

— Chut ! Tais-toi, Mouchoir. Montre, revenons à Strasbourg ! ordonna Masque.

— Bref, Mémoria limita les invitations et les sorties, devint une parfaite femme d'intérieur. Quand Makhou rentrait du travail, le dîner était prêt et l'accueil plus que chaleureux : dans une tenue sexy, à te rendre le Viagra caduc, elle sautillait, multipliait les pirouettes entre la cuisine et le salon. Elle ne se trémoussait pas, elle se grave-moussait, se ridiculisait d'une gestuelle raidie par une trop grande volonté de grâce. À table, se fiant au sourire ambigu de Makhou, elle s'échinait à instaurer une complicité. En réalité, elle se moquait de ce qu'il pouvait penser de ses talents culinaires, seuls lui importaient le cérémonial et ce regard captif, où elle lisait ce qu'elle voulait. Puisque le cobaye de ses expériences d'apprentie séductrice ne manifestait aucune objection, elle s'enhardit et lui imposa de singulières soirées de lecture partagée, une plongée à deux, dans les roses eaux d'œuvres qu'elle avait classées selon un ordre croissant d'érotisme. Chaque soir, ils emportaient un livre dans leur chambre à coucher. Oreiller connaît peut-être la suite ?

— Et comment ! Je ne la connais que trop. Ce nouveau programme était loin d'être un cadeau pour moi et mes semblables : ils nous superposaient, nous coinçaient, nous écrasaient sous leur dos, nous asphyxiaient pendant des heures. Vautrés dans leur lit, ils lisaient toutes les pages ensemble, échangeaient leurs points de vue, commentaient, s'esclaffaient et s'étreignaient parfois, enfin, quand Mémoria, dans un élan affectif débordant, avait des gestes qu'aucun goujat n'aurait osé repousser. Après *Le Diable au corps*, qui occasionna un flirt poussé, Mémoria, qui admirait déjà la délicatesse de Makhou, fut éblouie par ses capacités au lit. Fiévreuse à l'idée d'un possible nirvana, elle n'entendait pas s'arrêter en si bon chemin.

— Moi, Canapé, j'ai bien vu comment elle frétillait au moindre baiser, je puis vous dire qu'elle avait du tempérament, elle n'était pas fille à se contenter de peu.

— Disons que la tradition orale ne sème pas ses graines à perte, affirma Masque ; Mémoria avait retenu la leçon de sa mère : « Le bois mouillé n'empêche pas la ménagère de servir un repas chaud. » D'où crie-t-on victoire, sinon sur la montagne de l'effort. La séduction demande de l'endurance, un petit oubli de l'orgueil et une très grande patience. N'est-ce pas, Montre ?

— Eh oui ! Touché par cet être, à la fois tendre et tenace, qui s'offrait sans retenue, Makhou, petit à petit, se glissa dans la nacelle.

— Il faut dire que la nacelle en question fut mieux tissée que le satin qui me couvre, dit Oreiller. Coincé sous la nuque de Mémoria, je me délectais de leurs causeries. Un soir Makhou, qui la trouvait plus enjouée que les jours précédents, se mit à la taquiner : « Tu te rends compte ? Elle est bien solide, la laisse que tu m'as tissée ! Ça fait un bail que je ne suis plus sorti après le boulot, même pas pour aller prendre un verre chez Max. Au secours, cette Amazone m'a pris en otage ! » Même feinte, cette soumission affichée de son époux la remplit de joie. Lui rendant sa pique, elle l'interrogea : « Le sacrifice est-il si terrible que ça ? Elle n'est pas douce, notre prison ? », « Ma geôlière est belle et gentille, mais une prison reste une prison » dit Makhou en la chatouillant. Riant aux éclats, elle sauta du lit, courut au salon, revint en brandissant *L'Amant*, et lui annonça : « Je vais te l'égayer, ta prison, tu vas voir ! » « Ah ! Je vois, j'ai encore droit à une lecture partagée, c'est ma punition. Pitié ! Tu lis comme un escargot, je vais encore devoir t'attendre pour tourner chaque page. Seigneur, le supplice ! » « Mais non, mais non, attends ! s'écria-t-elle. On va faire un jeu : on va donner vie au texte, aux personnages. Le verbe, mué en actes. Je m'explique : nous allons lire ensemble et, à chaque fois que nous rencontrerons une scène, nous allons la jouer en vrai, nous allons nous offrir une pièce de théâtre privée, sauf que nous serons, à la fois, les acteurs et les spectateurs. » Makhou n'était pas dupe, il connaissait bien ce roman et n'ignorait rien de ce qui l'attendait, mais, trop engagé dans la plaisanterie pour prendre ses distances, il se laissa convaincre. Cette nuit-là, alors que la lune dévoilait ses rondeurs à la cathédrale de Strasbourg, Mémoria cueillait des étoiles sur son plafond. Ce n'est que le lendemain matin, en voyant ses draps, qu'elle réalisa qu'elle venait de perdre sa virginité, après deux ans de mariage. À vingt ans, elle appréciait sa *première fois*.

— Pour Makhou aussi, c'était une première fois ! clama Montre.

— Comment ça ? s'indigna Oreiller, avec tout ce que je l'ai vu faire ! il s'y connaissait beaucoup mieux que Mémoria. Je dirais même que c'était lui qui menait la danse.

— Sûr qu'il avait une longueur d'avance : quand on sait danser la valse, ce n'est pas sorcier de mimer un tango. Ce matin-là, sur leur table de chevet, où Mémoria me posait d'habitude, moi, Montre, j'ai vu le doux petit mot que Makhou lui avait laissé, avant d'aller au travail : « Merci, chérie, pour cette merveilleuse nuit. Tu m'as fait découvrir une contrée que j'ai toujours crue hors de portée. Je me suis donc perdu pour te trouver. J'ai rencontré la première femme de ma vie, elle fut belle et généreuse. »

VIII

Découvrir ce pan de la vie affective de Mémoria, son côté Maîtresse du boudoir, suscita de savoureux commentaires. Parmi les meubles et objets réunis, beaucoup étaient loin d'imaginer cette part de la vie humaine. Certains étaient gênés, comme des enfants prenant conscience de la sexualité de leur mère, d'autres choqués, comme si on leur avait caché hypocritement un tel secret de Polichinelle. Et, puisque le croustillant donne envie de mâcher, on mâcha et mâchouilla les nouvelles révélations jusqu'à plus d'étonnement.

— Bien ! soupira le président de séance. Je constate que les dernières informations alimentent bruyamment vos apartés, mais nous devons continuer. Montre, à vous entendre, tout était finalement rentré dans l'ordre.

— Je ne le dirai pas comme ça. En sortant de sa chambre à coucher, Makhou était loin de se douter qu'avec ses quelques mots griffonnés à la hâte, il venait de jeter de l'essence sur le brasier.

— Ah bon ? interrogea Assiette, je les voyais faire du feu dans la cuisine, mais j'ignorais qu'ils en faisaient également dans leur chambre.

— T'es bête ! C'est dans leur lit qu'ils le faisaient, le feu, si tu veux tout savoir. Et pour l'instant, la torche, c'était Mémoria. Après ladite nuit, elle s'enflammait pour tout, se consumait pour rien. Un regard, un sourire, un frôlement de Makhou, et la voilà prête à roucouler. Elle croyait que sa vie de couple avait enfin démarré et ne pensait plus qu'à consolider ses acquis. Mais les nuits s'enchaînèrent, sans folie. Son époux avait retrouvé son air fraternel et se comportait comme s'il ne s'était jamais rien passé entre eux. Pire, il rentrait de plus en plus tard. Au début, c'était : « J'ai été retenu au boulot, un imprévu ». Ensuite : « Je suis passé prendre un verre avec un ami. » Serrer les dents ! Le ravalement, ce n'est pas réservé aux façades des bâtisses, l'humeur en demande, parfois, quand on décide de se donner une seconde chance ! Martyres du couple ou proies consentantes, les mordues de l'alliance savent combattre leur juste révolte et dire *chéri*, quand elles pensent *chien*. Dissoudre les états d'âme dans une tasse de thé. Sans sucre, s'il vous plaît ! C'est pour la ligne. Mais Mémoria suivait un régime moral dégraissant, sa tristesse lui servait de coupe-faim. Aux repas, elle déglutissait avec peine, gérait ses réactions, évitait les disputes et domptait sa colère, grâce à une analyse de la situation qui suivait l'ornière d'une psychologie dont les perspectives fluctuaient, en fonction des rayonnages des librairies : « Il se laisse désirer, les hommes aiment avoir les femmes à leurs pieds, mais au fond, il tient à moi, un jour c'est lui qui sera à genoux devant moi » ; ou « il cultive le conflit, pour mieux savourer les retrouvailles, le festin après la diète, c'est peut-être ainsi qu'il prend son pied », se disait-elle. Malgré une légère amertume, elle ne s'avoua pas vaincue. Tenace, elle proposa à nouveau son jeu de lecture appliquée, mais sans l'enthousiasme de la première fois. Après quelques refus mal justifiés – la fatigue, le stress au boulot, le sommeil –, Makhou finit par céder, mais, cette fois, il promulgua ses propres règles : il acceptait de passer à l'acte, à condition que Mémoria lui tournât le dos. La première fois qu'il émit ce désir, l'incompréhension de sa femme fut telle que le cocooning tourna court. Puis, les fois suivantes, elle franchit la barrière de ses principes, par peur de distendre le lien ténu qu'elle avait eu tant de mal à tisser entre eux. Au bout d'un certain temps, comme la nouvelle règle ne lui convenait guère, elle se replia sur elle-même, tout en sachant que Makhou ne viendrait jamais lui conter fleurette spontanément.

— Mais qu'est-ce qu'elle attendait pour quitter cet inconstant ? éructa Coumba Djiguène.

— L'orgueil, ma chère, l'orgueil, fit Masque. Ayant pris l'habitude d'être chassées comme gibier rare, les femmes ne supportent point qu'un chasseur, même indécis, se détourne de leurs appas.

— En tout cas, perché sur ton mur, c'est bien toi qui n'arrêtes pas de reluquer les appas de Coumba Djiguène, maugréa la statue du chasseur.

— Encore ce jaloux ! Bref, Masque a vu juste, attesta Montre. Mémoria n'était pas femme à couver sa frustration sous la couette. Alors que le gel menaçait de saisir à nouveau son ménage, elle opta pour la fermeté. Il fallait d'abord arrêter les multiples escapades solitaires, les rentrées tardives de Makhou, le ramener, ensuite, à hauteur de jupe et l'y garder. Le théâtre lui parut la solution idéale : les représentations commencent suffisamment tôt pour obliger le récalcitrant à rejoindre son domicile, dès sa sortie du travail et, surtout, elles se terminent assez tard pour l'empêcher d'aller siroter un apéritif avec des amis ; donc, soirées familiales garanties. Quant au choix des pièces, elle feuilleta toutes les programmations de la ville et procéda comme pour les livres : Hum !… Oh !… Ah !… Oui !

— Eh ben, ça devait être cornélien ! lança Dictionnaire.

— Non, non, pas du tout. Certes, la tragédie intérieure de Mémoria restait racinienne, mais elle n'eut aucun mal à repérer quelques mises en scène contemporaines du marivaudage. Collier de perles ne me contredira pas là-dessus.

— Effectivement. C'est ainsi qu'ils allèrent voir *Frôler les pylônes* au Théâtre national de Strasbourg. Dès les premières scènes, Makhou comprit pourquoi on l'y avait poussé avec force jérémiades, mais il fit mine d'ignorer le filet tendu à son intention. L'indifférence fut son gilet de sauvetage. Pourtant, gentleman, à la sortie du spectacle, il invita sa compagne à dîner dans un romantique restaurant des bords de l'Ill. Jouant la dulcinée adulée, Mémoria se régala, remercia modérément le prince, s'ingéniant à lui tenir la dragée haute. Au dessert, Makhou, l'œil malicieux, s'aéra la bouche : « Je te trouve très lointaine, ce soir. Si mon invitation dans ce magnifique cadre ne te fait pas plaisir, que faut-il faire pour te séduire ? » Pince-sans-rire, elle rétorqua : « Et si c'était déjà fait ? » L'Ill coulait doucement, se retirant avec les mots de trop et ceux que nul n'avait pêchés à temps. Parce que le marc de café ne révélait rien aux yeux qui s'y noyaient, on scruta le bas de l'addition. La serveuse rendit la monnaie en sourire et, avec beaucoup de sollicitude dans la voix, souhaita bonne nuit au couple, trop silencieux à son gré. En sortant du restaurant, Mémoria, qui aimait chanter le blues, aurait pu murmurer en claquant des doigts : « *J'ai bien mangé/j'ai bien bu/mais j'ai le cœur lézardé/Mon aimé s'appelle désiré.* » Dehors, un vent glacial fendait les poumons et momifiait les visages. Strasbourg, dans sa robe de soirée, affichait ses mille bijoux et scintillait, merveilleuse. Dans ses artères, la vie, fondue dans l'Ill, coulait lente mais irréversible. Ce soir-là, en tournant la clef dans la serrure, Makhou espérait prolonger leur long silence en un sommeil profond.

— Mais il veilla tard ! s'exclama Oreiller. Mémoria avait prévu un tout autre épilogue. Arrivée dans la chambre avant lui, elle était nue lorsque Makhou poussa la porte. Ingénue, elle lui tendit une bouteille d'huile de massage : « Tiens, tu voulais savoir comment me séduire ? Voilà, un bon massage me suffira, je crois que j'ai attrapé un petit coup de froid. »

— Mouais, grommela Canapé, elle avait plutôt un petit coup de chauffe quelque part...

— De la tenue ! exigea le président de séance. Il y a une autre manière d'exposer les choses. La luxure, le mauvais caractère, bref, tous les défauts des morts sont tabous chez les humains. Par jalousie, ils minimisent les qualités et mérites des vivants, préférant ériger des gloires post mortem et déposer des couronnes à l'ombre des stèles. À les entendre, le pire salaud devient un saint dès son enterrement. N'allons pas les singer et falsifier nos souvenirs, mais rapportons les faits avec élégance, par respect pour notre défunte maîtresse. Oreiller, nos oreilles sont à vous : puisque mourir, c'est laisser aux autres la liberté de tout dire sur vous, dis-nous tout ce que tu penses savoir sur cet épisode.

— Ce que je raconte au sujet de Mémoria est exact. Lors de cette fameuse soirée du massage, Makhou, pris au dépourvu, s'exécuta sans broncher, frictionnant le dos de sa femme, exerçant des pressions mesurées aux endroits qu'elle lui indiquait : « Oui, là, au creux des reins, oui, c'est ça, plus fort, encore, hum ! oh ! ah ! oui ! Aïe, tu me chatouilles ! Hi, hi ! » Makhou s'appliquait, sans arrière-pensée, quand elle se retourna et l'emprisonna dans ses bras, le couvrant de baisers qu'il rendit du bout des lèvres. Profitant de l'atmosphère détendue et désireux de se soustraire aux câlins, il débita d'une traite : « Au fait, il y a une chose que je projetais de t'expliquer demain, mais puisque tu n'as pas sommeil, nous pouvons en parler maintenant : comme tu le sais, après les mandats pour ta famille et la mienne, il nous reste à peine de quoi vivre ; à ce rythme-là, nous ne pourrons jamais partir en vacances au pays. J'ai donc démissionné de mon poste de logisticien. Depuis quelques semaines, je travaille pour Max qui m'a proposé un bien meilleur salaire. » Au lieu de l'écouter, Mémoria s'enhardit dans les câlins, qu'il s'évertuait à éviter. Ayant vainement tenté de l'interrompre par des baisers, elle le ceintura de ses fines jambes, multiplia les caresses et murmura : « Après, tu m'expliqueras ça, mais après... » Makhou se dégagea, la saisit brusquement par la taille et la retourna comme une crêpe. Elle bondit et susurra : « Non, pas comme ça, pas cette fois, je veux te voir de face. »

« Je ne peux pas ! » cria Makhou, en s'affaissant lourdement sur son oreiller. Dressée devant lui, Mémoria laissa exploser une colère longtemps retenue : « Quoi, tu ne peux pas ?! Tu voudrais encore me prendre comme un mec ? Un mec, c'est ça que tu veux, un mec ! Voilà pourquoi tu t'es jeté dans les bras de ce foutu Max. Je me doutais bien qu'il visait autre chose qu'une banale amitié avec toi ! Hein, c'est ça ? Tes rentrées tardives, tes sorties solitaires, l'innocent verre bu avec un ami rencontré par hasard, c'était donc lui ! Tu buvais ton Max jusqu'à la lie ! Avoue, espèce d'hypocrite ! » « Arrête, s'il te plaît, arrête », supplia Makhou. Mais elle n'arrivait plus à ravaler les lames verbales qui sortaient de sa bouche, déformée par la rage : « Je n'ai pas qu'un cul ! Qu'est-ce que tu n'aimes pas chez les femmes ? Ils ne sont pas assez beaux, mes seins, hein ? Tu ne les vois pas ? Tu ne veux pas les avoir en face de toi ! Qu'est-ce que t'as contre mes seins ? Ils te foutent la trouille ? Ils te rappellent ta mère ? » N'en pouvant plus de se faire sermonner, Makhou se fit fielleux : « Tu me fatigues. Ce que j'ai contre tes seins, tu le sais bien et depuis longtemps : les airbags, je ne les trouve utiles qu'en voiture. » « Et moi, je les préfère entre les mains d'un homme, un vrai ! », martela-t-elle. Plus vexée par le ton de Makhou que par sa réplique, elle fondit en larmes. Aucune main consolatrice ne caressa son épaule. Aucune compassion, ni maritale ni fraternelle, ne vint sécher les ruisseaux qui coulèrent sur ses joues, jusqu'au lever du jour.

— Il fallait bien qu'elle lui dise ses quatre vérités, rumina Coumba Djiguène.

— Et surtout qu'elle se les dise à elle-même, rectifia Masque. Il ne suffit pas de se trémousser pour être irrésistible. Quand on ferme les yeux afin d'ignorer le soleil, on ne se plaint pas de heurter un tronc d'arbre. Mémoria devait enfin comprendre la vanité de son obstination. On ne se fabrique pas un mari comme on se taille une statuette. L'amour ne se décrète pas, le désir encore moins.

— Oh, cette fois, elle avait bien compris que Makhou ne serait jamais le mari idéal, certifia Montre. Puisque tous deux cherchaient l'objet de leur désir dans la même direction, ils auraient pu vivre, tout au plus, comme frère et sœur, mais, blessée dans son orgueil, Mémoria choisit la rupture immédiate. Le lendemain de leur dispute, lorsque Makhou rentra du travail, ses affaires l'attendaient, en vrac, dans le couloir. Dès qu'elle avait entendu la clef tourner dans la serrure, elle surgit de sa chambre et annonça froidement : « Fini, terminé, j'en ai marre, maintenant, tu dégages ! Je ne veux plus te voir par ici, va rejoindre ton beau salaud. Et puisque tu seras dans ses bras tous les soirs, ce sera le prix du loyer de l'appartement, car j'y reste. Je ne te demande rien de plus. Dégage ! » Makhou fit un pas, tendit la main vers elle, elle l'esquiva et s'en retourna s'enfermer dans sa chambre.

— Sacré caractère ! Voilà une femme digne de ce nom ! reconnut Coumba Djiguène.

— Si l'on veut, relativisa Masque, mais la dignité est un bien grand mot qui, la plupart du temps, se résume à des effets de manche. La dignité : ce mot rigide, planté dans les cœurs, aussi droit qu'un hêtre, est parfois du simple masochisme saupoudré de cendres de rêve, un maquillage apposé sur les plaies de l'ego. On peut duper les autres en se montrant héroïque, mais on ne peut pas se mentir sur sa propre souffrance.

— Je suis d'accord avec toi, acquiesça Oreiller. En effet, lorsque la porte d'entrée claqua derrière Makhou, Mémoria reçu comme un coup de massue sur la poitrine. Suffoquant, elle m'écrasa contre sa bouche pour étouffer son sanglot. On aurait dit que la source de Soultzmatt coulait sous ses longs cils noirs, et il en fut ainsi pendant des heures.

— Peut-être même des journées entières. Moi, Assiette et mes voisins, ustensiles, nous ne la voyions plus entrer dans la cuisine que pour se faire du café ou du thé. C'était sa période pomme/ yoghourt ; comme je le disais au début de notre réunion, seules nos amies, Tasses et Petites Cuillères, trouvaient quelque chose à se mettre sous la dent. Nous autres, Assiettes restantes – certaines d'entre nous ayant été brisées lors de disputes – ne servions plus qu'à stocker de la poussière. Apathique, Mémoria se nourrissait comme un moineau, se déplaçait de lit en canapé, économisait ses vivres afin de ne pas se voir obligée de sortir chercher de quoi les renouveler.

— C'est vrai, soutint Montre, mais comme le malthusianisme n'a pas réussi à gérer le monde, elle perdit bientôt le contrôle du sien.

— En effet, pour moi, Porte-monnaie, le temps des carences était revenu. Son dernier argent de poche d'épouse entretenue n'avait ni germé ni proliféré et elle n'espérait nul autre denier. Makhou lui garantissait uniquement le toit, le loyer qu'il disait régler directement au fortuné Max qui, en réalité, ne le lui réclamait jamais. Croyez-moi, je sais ce que signifie un passage à vide ! Aplati, jeté et oublié au fond d'un tiroir, je regrettais les jours fastes où elle me remplissait de billets et m'emmenait avec elle au shopping. Elle, si coquette, se privait maintenant d'effets de toilette. Plus de maquillage. Son nouveau look, c'était ongles nus, bouche couleur de chair. Ce qui valait d'ailleurs mieux pour elle, car elle se rongeait les doigts et mordait sans cesse ses belles lèvres noires. Elle aurait dû exiger de Makhou une pension alimentaire, elle restait malgré tout son épouse, puisqu'ils étaient seulement séparés et non divorcés.

— Une pension alimentaire, ce que t'es rapiat ! gronda Chasseur. On ramène son gibier à la femme qui vous attend à demeure et à nulle autre. Personne ne finance à perte. D'ailleurs, d'où Mémoria tenait-elle son pain quotidien ? En dépit de vos dires, je suis sûr que ce Makhou était encore assez gentil pour lui porter des victuailles.

— Non, pas du tout, fit Montre. Qui chasse la vache se prive de son lait. De Makhou, Mémoria n'attendait plus rien. Fière, elle se refusa à toute demande d'aide. Elle avait entendu parler du RMI mais, s'étant imaginé les réponses et les sous-entendus humiliants de certains employés des services sociaux, elle se convainquit qu'elle préférerait mourir plutôt que de les solliciter. Elle les entendait d'avance : « Encore une qui vient sucer les mamelles de France ! Ils ont demandé l'indépendance et maintenant ils s'agrippent à nous, tels des naufragés ! Votre dossier est incomplet, ma petite dame, au revoir. Fichtre, qu'ils aillent au diable, ces voleurs d'impôts ! » Elle serait alors obligée de baisser la tête, et ça, c'était au-dessus de ses forces ; c'est pourquoi elle racla ses fonds de placard, tint tête à la disette autant qu'elle le put. Silence diurne, bruit nocturne, les nerfs détraqués, elle vivait à l'envers. Le temps filait, monotone comme la solitude, une solitude-vampire qui vidait sa vie de tout intérêt et ne laissait dans ses veines que le suc nécessaire à la prolongation du supplice. Dans sa tête s'embourbaient des rêves enchevêtrés qu'elle ne se donnait plus la peine de démêler. Un coup de pied au derrière, elle en avait besoin pour sortir de sa torpeur et il lui vint du Sénégal : une cassette audio de son père, je crois qu'elle est encore dans ses effets personnels. Regardez dans ce sac plein de bric-à-brac, là-bas.

— Me voilà ! cria Cassette en s'extrayant du fouillis. Je vous livre le message tel qu'il me fut confié : « Je m'adresse à celle qui est ma fille, par la volonté de Dieu et qui, à ce titre, me doit respect et obéissance. Voilà quelques mois que tu n'envoies plus aucun mandat. Pourtant, même au bout du monde, tu as appris les ravages de la dévaluation. Tu sais bien que j'ai fermé ma dernière boutique à Sandaga. Tu sais aussi que nous ne pouvons pas quitter Dakar, non seulement tes frères et sœurs y font leurs études, mais ils ne pourraient pas s'habituer à la vie au village, ce sont de vrais citadins. Aujourd'hui, il ne nous reste plus que toi et la grâce d'Allah. Qu'attends-tu donc pour nous aider à faire vivre la famille ? Faut-il que je fasse le porteur au Marché, que ta mère soit réduite au rang de bonne à Dakar, alors que notre propre enfant, la chair de notre chair, qui nous doit sa vie et son éducation, vit en France ? J'espère que je n'aurai plus besoin de te rappeler à ton devoir. »

— Ah là là ! s'indigna Porte-Monnaie. Coumba Djiguène avait vraiment raison, il faut proposer aux fœtus des contrats in utero, leur expliquant à quoi ils s'engagent en venant sur terre, surtout dans certaines contrées où les humains prennent leurs enfants pour des assurances-vie. Au fait, ça vaut combien un spermatozoïde ? Une rançon à vie ?

— En tout cas, Mémoria se sentit obligée d'honorer la sienne, assura Montre. Après avoir écouté plusieurs fois la cassette-courrier de son père, sa nuit dura le temps d'un prélude de Bach. Elle n'avait pas dormi et aucune musique n'ayant réussi à l'apaiser, elle choisit alors de laisser courir sa mélancolie sur les cordes du violoncelle. Une Allemande ou une Sénégalaise ? Peu importait. Quand la détresse danse la sarabande en vous, le menuet du cœur entraîne une gigue de la raison. Mémoria ne savait plus sur quel pied danser et personne ne lui proposait un pas de deux. Aux aurores, elle quitta sa robe de chambre, prit une douche express, enfila un jean bien moulant, déterminée à débusquer toutes les richesses de la terre française. Cette quête devint quotidienne. Mais à l'ANPE, où elle passait souvent, les affiches s'adressaient avant tout aux caristes, aux tourneurs-fraiseurs, aux peintres en bâtiment et aux chauffeurs de poids lourds. On recrutait également des représentants de commerce ; elle se trouva assez dégourdie pour occuper un tel poste, et puis, voir du goudron étant plus lucratif que la contemplation du plafond, elle s'imagina en tailleur de Tergal noir avec une mallette de prospectus. Malheureusement, elle n'était pas formée au bourrage de crâne et ne possédait pas de permis pour sillonner la France. Plusieurs annonces proposaient du baby-sitting, mais dans ce domaine elle avait déjà donné et ça lui avait suffi pour prendre une décision irrévocable : elle ne torcherait plus que le cul de son propre gamin. Elle attendait donc d'en avoir un pour chanter des comptines, porter un nez de clown, abîmer ses beaux talons dans la gadoue des aires de jeu, saupoudrer ses jupes de farine et improviser des crêpes pour le goûter. Quant aux annonces proposant du ménage, elles ne retenaient guère son attention : que chacun bouffe ses acariens, elle ne pouvait laisser la Javel ternir l'éclat de son vernis. Sa conseillère lui parla d'un poste chez McDoigts-gras, ça lui souleva le cœur : déjà qu'elle ne mangeait plus, elle n'allait quand même pas viander ses journées, accentuer son bronzage déjà trop parfait à rôtir de la vache enragée pour des clients avachis qui ne détecteraient même pas le goût de son fard dans leur salade marinée à la sueur.

— En somme, elle préférait, elle, continuer à s'avachir sur moi, elle ne voulait pas travailler, remarqua Canapé.

— Si, mais elle ne voulait pas faire n'importe quoi, on la comprend, la pauvre, ronchonna Mouchoir.

— En temps de famine, le pêcheur ne distingue pas le hareng du capitaine, il se réjouit de sa prise quelle qu'elle soit, dit Chasseur. Notre Mémoria n'avait pas assez faim pour renoncer à ses caprices d'enfant gâtée.

— Ou vous avez vu juste, ou elle tenait une manière bien à elle d'affronter ses carences, dit Masque. Qui sait se contenter de son blé noir n'envie point les agapes du nanti ! Un ventre plein ne dit pas son contenu. En d'autres termes, ce n'est pas le manque en lui-même qui fait souffrir les humains, mais leur façon d'y faire face, leur capacité ou non à maîtriser leur vouloir. Qui sait limiter ses besoins est plus heureux que celui qui court après les moyens de satisfaire tous ses désirs.

— Jouir, en s'abstenant de désirer, faire de la raison le gouvernail de sa barque existentielle, pagayer jusqu'à la rive lénifiante de l'ataraxie, serrer les dents, s'accrocher à la cuisse de Zénon, afin de ne pas sombrer dans le gouffre de la désolation, voilà à quoi s'exerçait Mémoria. Stoïcisme ou épicurisme ? Elle ne se posait même pas la question. Placardant son sourire cristal sur le fer oxydé de ses angoisses, elle poussait son monde, front contre le panneau.

— Montre, tu veux dire que son entourage ne se doutait de rien ?

— De rien ! Un jour, revenant de l'ANPE, elle croisa, devant l'ascenseur, une de ses voisines qui ne l'avait pas vue depuis longtemps. Celle-ci la considéra des pieds à la tête et couina en souriant : « Oh, vous avez fait un régime ? Vous êtes toute mimi, ça vous va très bien ! » Mémoria la remercia du compliment, sans se départir de son sourire de camouflage. La grassouillette dame ignorait tout de la diète involontaire qui faisait fondre sa mignonne voisine. Mémoria irait-elle lui conter sa misère crue qu'elle ne l'aurait pas crue. Non seulement l'habit ne fait pas le moine, mais, quand il n'est pas assez usé, il détourne la charité chrétienne. La petite était trop pimpante pour se ronger les os. Rien dans son apparence ne trahissait sa déplorable situation financière. Son corps d'anorexique correspondait aux canons de la mode et la rangeait du côté des coquettes branchées. Ses sanglots nocturnes ne dérangeaient personne, pas même la grosse peluche grise qui remplaçait Makhou de l'autre côté du lit.

— La pauvre ! renifla Mouchoir. Ou elle n'aimait pas importuner les autres avec ses problèmes ou elle n'avait pas de véritables amis.

— Si, elle avait une amie, Marie-Madeleine, une fille que Max leur avait présentée, qui était venue plusieurs fois dîner chez eux, à l'époque où ils invitaient sans compter les couverts. Mémoria se souvenait bien d'une Marie-Madeleine avenante et souriante, mais elle avait longtemps hésité avant de la contacter. Puis, un soir, ne sachant plus vers quelle direction chercher la voie du salut, effrayée surtout par l'immensité de sa solitude – la presque totalité des noms inscrits dans son agenda était déjà rayée – elle me décrocha, moi Téléphone, et lui décrivit le gouffre béant sous ses pieds. Elle en était encore à se confier lorsque Marie-Madeleine lui dit :

« Mémoria, ça fait des lustres que Makhou est parti et toi, tu restes là, à t'apitoyer sur ton sort. Tu n'es pourtant pas la première à qui ça arrive, et tu ne seras pas la dernière. Je sais bien que t'es déprimée, mais je ne peux rien pour toi. Trouve-toi un autre mec. » Cette réflexion, Mémoria l'avait souvent entendue. À chaque fois, elle accusait le coup et se réfugiait derrière le rideau de son sourire, mais, ce jour-là, la coupe était pleine. Elle en avait assez des copines qui lui récitaient ce même théorème, de ces femmes qui ne trouvent de sens à leur existence que dans le regard d'un homme. Avant de raccrocher, elle rétorqua : « Trouve-toi un mec, trouve-toi un mec ! Un mec ! Un mec ! Est-ce donc l'alpha et l'oméga ? Bien sûr, parfois, je voudrais que quelque chair vive me serre dans ses bras, une femme aux orifices bouchés ou un homme aux organes rabotés, peu m'importe ! Ce que je veux entendre, c'est un filet de voix, une parole, un rire. Ce que je veux sentir, c'est un cœur qui bat au diapason du mien. Quand je suis triste, ce n'est pas le sexe qui me manque, je ne pleure pas par mon cul ! Arrêtez de me rabâcher ce refrain : trouve-toi un autre mec ! Comme si les hommes étaient interchangeables ! » En observant le fil du combiné se tordre puis reposer sur lui-même, Mémoria acquit la certitude que chaque existence humaine s'arc-boute sur elle-même. La seule rampe à laquelle on puisse s'agripper sans craindre de s'effondrer est la volonté personnelle. Elle pensa avec émotion à ce brave Franz Fanon qui disait que *le destin de l'homme est d'être lâché.* Celui de la femme serait-il d'être abandonnée ? Assise à même la moquette, elle empoigna sa peluche et s'adressa à elle : « Les humains se dérobent plus qu'ils ne s'offrent, on ne peut jurer que de la fidélité d'une peluche. Il manquera toujours à notre vie le temps d'un café avec un ami. Ces tête-à-tête apaisants, il n'y en a jamais de trop, il n'y en a jamais assez, parce qu'il n'y en a jamais quand il faut. En réalité, il n'y en a que quand la futilité fait partager tout ce qui est hors de l'essentiel et donne l'illusion de vivre, c'est-à-dire quand, abruti par le bruit des mots convenus, on accepte de faire semblant d'ignorer la cruelle solitude de l'être face à son indicible intériorité. Un homme dans un lit, c'est beau, c'est chaud, c'est réconfortant, mais ce n'est pas un antidote à la douleur existentielle. »

— Oh, elle n'était pas facile, notre Mémoria ! remarqua Coumba Djiguène ; en la morigénant ainsi, elle risquait de perdre la seule amie qui lui restait.

— Peut-être, mais, à bien y regarder, Marie-Madeleine avait raison de la pousser face au mur, remarqua Montre. *Pyrame et Thysbé*, les liens amoureux indéfectibles, le don de soi jusqu'à la mort, cette vaine noyade dans l'eau de rose n'a plus cours que dans les lectures classiques. À l'heure du *speed dating* et des contrats de mariage en dollars, il faut une grande naïveté pour espérer attendrir une bimbo saine d'esprit avec des histoires de pigeon voyageur.

— Oui, mais si Marie-Madeleine ne pouvait pas la comprendre, la soutenir, à quoi servent les amis ? interrogea Mouchoir.

— À vous raconter leurs propres problèmes, affirma Masque, à vous obliger à relativiser les vôtres en vous disant qu'il y a pire, même si le cancer des autres n'empêche personne de souffrir de son rhume.

— Il est vrai que tout le monde aimait la franchise de Mémoria, mais ce n'est pas en leur rabattant systématiquement le caquet qu'elle allait conserver ses amis, rumina Coumba Djiguène.

— Justement, continua Masque, Mémoria n'avait pas encore compris que la meilleure façon de conserver ses amis, c'est de ne pas trop les envahir avec ses problèmes. Et puis, la franchise, les gens cessent de l'apprécier chez vous le jour où elle s'exprime à leurs dépens. Mais, la même bouche qui goûte le sucre mangeant le piment, il suffisait aux deux copines de le comprendre pour se rabibocher. Ainsi va la vie des humains, discorde rime avec concorde pour ceux qui savent tourner les pages du temps, sans rancune. N'est-ce pas, Téléphone, combien de liens rompus se sont renoués par ton intermédiaire !

— Et comment ! lança Téléphone. Mémoria était de ceux-là, ses colères impressionnaient, mais son cœur ne couvait jamais la haine. Quelques semaines plus tard, elle rappela Marie-

Madeleine : « Excuse-moi, lui dit-elle, je me suis emportée la dernière fois, mais tu comprends, je n'en peux plus, je suis seule et je n'ai toujours pas de boulot. » Marie-Madeleine fut confuse et regretta ses propos : « Moi aussi, je suis désolée d'avoir tout mis sur le compte de ta séparation. Mais ne t'inquiète pas, tu vas t'en sortir. Puisque tu as fait de la danse, je crois avoir un boulot pour toi : dans la boîte de nuit où je travaille, ils cherchent une nouvelle fille, l'une de mes collègues a démissionné et j'ai le patron dans la poche, enfin, tu vois ce que je veux dire... Il ne me refusera rien. » « Je ne saurai jamais m'exhiber en public », avait protesté Mémoria, mais son amie se montra convaincante : « Ne t'en fais pas, je te donnerai quelques ficelles, il suffit de bien bouger ; une Africaine, avec la plastique que t'as, ils n'y verront que du feu ! Puis, avec la lumière psychédélique qu'ils te projettent en pleine figure, tu ne me reconnaîtrais même pas dans la foule en mouvement, tu remarqueras à peine les yeux posés sur toi, aucune raison d'avoir des complexes. De toute façon, c'est juste pour te dépanner, tu pourras toujours arrêter si tu trouves mieux. »

— Hum ! pas ça, pas ça ! se raidit Coumba Djiguène. Je n'aime pas du tout cette proposition, ça sent le..., la..., enfin, vous voyez ce que je veux dire.

— Non, Gros-lolos, pas vraiment, répondit malicieusement Montre ; par contre, je vois bien notre fidèle visiteur s'installer. Mais que fait-il ?

— Pauvre ferraille ! Ne m'appelle plus Gros-lolos !

— Chut ! Regardez ! intima Masque.

Assis en tailleur au milieu du salon, l'homme reniflait, humait la peluche qu'il venait de ramasser près du canapé. « Tu sens encore son parfum », murmura-t-il, en étouffant un sanglot. Soudain, il bondit et quitta la pièce précipitamment. On entendit du vacarme en direction de la salle de bains d'où il revint, serrant contre son cœur le joli flacon d'un parfum pour femme. « Voilà, comme ça tu seras là, avec moi, cet appartement sera plein de toi... », dit-il, en pulvérisant dans tous les sens. Aucun meuble n'avait échappé à cette pluie inattendue de senteurs, mais, tout à sa transe, l'homme poursuivait son aspersion et continuait de psalmodier : « Tu es là, avec moi, cet appartement est plein de toi ; je suis là, avec toi, je te sens près de moi ; tu es là, tu es partout... »

— Assisterions-nous au retour du paganisme ? plaisanta Masque. Ce monsieur accomplit un rituel qu'il me semble important de respecter. Profitons-en donc pour nous reposer un peu, la séance est suspendue.

IX

La pause s'était prolongée. Après une longue agitation, l'homme, assommé par la fatigue, s'était effondré sur le canapé, s'abandonnant au sommeil comme on s'avoue vaincu sur un tatami. À son réveil, la pièce était encore saturée de parfum, mais ce n'était plus que l'insupportable odeur de l'absence. « J'en ai assez de ce vide ! », cria-t-il, en claquant la porte derrière lui.

— Non mais, vous l'avez entendu, celui-là ? s'insurgea Table. Le vide ! Mais quel vide ? Et nous, les meubles, on compte pour du beurre ou quoi ? Non seulement il a osé nous asphyxier de cette bizarrerie qu'il appelle *parfum* – d'ailleurs, on se demande pourquoi, avec toutes leurs odeurs, les humains poussent le vice jusqu'à s'en créer d'autres –, mais il nous considère de surcroît comme des êtres insignifiants. Franchement, il y a des jours où je voudrais des mains pour foutre des claques !

— Ne sois pas vexée, Table ; le vide dont il souffre est impossible à meubler. Rien de tangible ne peut combler le sentiment de vacuité qui tenaille les Hommes, le manque est inhérent à leur existence. Moi, Masque, j'ai assez vécu pour savoir que les humains passent leur temps à sauver les meubles. Au fait, Mémoria avait-elle réussi à sauver les siens grâce à la solution proposée par Marie-Madeleine ?

— Sa situation était critique, mais quand même, bafouilla Coumba Djiguène, j'espère qu'elle n'allait pas accepter cette incitation à la... à la... Enfin, vous me comprenez ?

— À la débauche ? Non, Gros-lolos ! s'exclama Montre, épargne-nous ta pudibonderie de vieille planche. On ne refait pas la vie de Mémoria, on la raconte : une biographie, c'est de l'archéologie, pas de la chirurgie esthétique. Que ça te plaise ou non, Mémoria fut recrutée. Marie-Madeleine vint la voir à deux reprises, contrôla son déhanchement, la fit mimer un jeu érotique avec un balai et la rassura quant à ses capacités : son 90D de tour de poitrine, sa taille fine, ses jambes de gazelle, sa cambrure et ses fesses rebondies, qui semblaient dire « Prends-moi » à chacun de ses mouvements, n'autorisaient aucun doute : elle enflammerait la piste, ferait bouillir le sang des mâles, leur donnerait soif et ferait ainsi le bonheur du patron. En dehors du portier et des deux vigiles, elle serait la seule colorée admise dans cet établissement qui, d'ordinaire, préfère refouler les estampillés *hors Aryanie*. Le samedi suivant, la vingt-deuxième heure sonnait quand Marie-Madeleine passa la chercher en voiture. Avant de l'embarquer, elle lui prêta une tenue *Kama-Sutra*, la maquilla outrageusement, lui appliqua un faux diamant au nombril et un tatouage instantané à la chute des reins. Le dancing était comble lorsqu'elles firent leur apparition, à minuit, ovationnées par une foule rendue impatiente par la voix exaltée du DJ qui avait plusieurs fois annoncé l'arrivée d'une *bombe africaine qui avait la musique dans le sang*. Il avait suffi à Mémoria d'un déhanchement hésitant et d'un regard effarouché pour déchaîner les passions. Dans la loge commune, pour se donner le courage de monter sur scène, elle avait bu de l'alcool pour la première fois de sa vie, en acceptant le Whisky-Coca tendu par sa formatrice. À la fin de son numéro, on lui offrit plus de verres qu'elle n'en pouvait boire. Elle refusa des apartés, tout en admirant l'aisance avec laquelle sa camarade passait d'une table à l'autre.

— Tu veux dire que Marie-Madeleine racolait *in situ* ?

— Non, Canapé, disons qu'elle avait le contact facile. Elle s'était acheté une conduite aux débuts de Mémoria, mais, très vite – son porte-monnaie n'appréciant guère les week-ends sans extra –, elle lui fit comprendre qu'à la fin du service chacune devait se trouver une manière personnelle de finir ses soirées, qu'elle en profitait, elle, pour arrondir ses fins de mois. « Sans ces petits suppléments, avoua-t-elle à Mémoria, le travail serait sans intérêt. » La nouvelle recrue finit par s'en rendre compte : son maigre salaire couvrait à peine ses besoins vitaux, impossible, donc, d'envoyer des mandats à ses parents qui ne cessaient de la relancer. Alors, un soir, il avait suffi d'un clin d'œil complice de Marie-Madeleine pour lui faire accepter un aparté, deux verres de trop, puis son premier extra : le gars était bien mis, costume-cravate, n'avait pas sué sur la piste, exhalait un parfum délicat et ne puait pas de la bouche. Avec un sourire à vous couper le souffle, il savait mêler désir et tendresse dans son regard pour vous ôter toute méfiance. Mémoria n'avait pas donné de tarif. Aussi, en palpant son billet de cinq cents francs, elle trouva l'affaire correcte. Gagner autant, cinquante mille FCFA, pour une culbute de cinq minutes dans une voiture haut de gamme, ce type n'avait rien d'un salaud. Elle avait presque raison. C'était un mari banal qui se plaignait de sa compagne entretenue à grands frais, une veinarde qui, disait-il, avait eu la chance d'épouser un brillant cadre supérieur, lui permettant de passer ses journées à la maison et de faire du shopping en toute saison. Seulement voilà, cette poupée chic prétextait souvent une migraine ou une grosse fatigue au moment où Monsieur ne réclamait que son dû. Il aurait bien voulu rester fidèle, mais il n'y pouvait rien s'il mangeait de la viande bleue et gardait une vaillance telle que le gardien de son kangourou exigeait de fréquents plongeons dans des vallées humides. Toutes bonnes manières bues, il libéra sa bile : « J'aurais pu la violer, oui, parfaitement, la défoncer, aller chercher mes années de salaire au fond de son cul, mais non, je suis trop gentil, trop con. La larguer ? Impossible : la maison, et puis les amis, la famille et les enfants ne comprendraient pas. Non, impossible de divorcer. Mais maintenant, elle ira moins au shopping, je préfère encore donner mes sous à des filles saines, comme toi ma belle, qui respectent la nature et font la chose de bon cœur. Tu ne sais pas, princesse africaine, ce que j'aimerais être libre, libre de t'accompagner, tout à l'heure, dans ton lit, libre de ne pas rentrer auprès de la marâtre froide qui m'attend et qui se permettra en plus une crise de jalousie en pleine nuit, dès que je pousserai la porte. Ne te marie jamais, princesse, c'est un piège caché sous de captieuses fleurs. Les pétales s'envolent, les chaînes restent. Regarde-moi : enchaîné, je suis enchaîné ! » avait-il conclu en se garant devant chez Mémoria. « Lis Nietzsche, lui conseilla celle-ci : « La rupture d'un lien est douloureuse mais à la place du lien, il me pousse une aile », écrit-il quelque part, je ne sais plus dans lequel de ses bouquins ; d'ailleurs, peu importe, puisque tu en as les moyens, offre-toi ses œuvres complètes, ça te fera du bien.

Allez, va, ne perds pas le moral », dit-elle, compatissante, en claquant la portière.

— Eh ben ! s'indigna Coumba Djiguène, Mémoria, une étrangère, abandonnée et désargentée, remontant le moral d'un cadre autochtone, marié et plein aux as ? C'est l'Éthiopie qui offre la semoule aux USA ! Elle était plus à plaindre que ce col blanc, d'une banale infidélité, qui ternissait l'image de son épouse pour légitimer sa débauche. Enfin, elle devait être trop ivre ce soir-là pour réaliser le ridicule de la situation.

— Figure-toi que non, assura vieux Collier de perles. Elle avait certes bu, mais elle gardait un minimum de lucidité. La phrase de Nietzsche, elle l'avait prononcée autant pour elle-même que pour ce pseudo-malheureux qui lui déversait sa mélancolie verbeuse. En écoutant la complainte de cet homme prisonnier de sa situation matrimoniale, Mémoria réalisa la valeur de sa propre liberté. Elle qui, auparavant, vivait son célibat comme une tare la vit soudain comme une possibilité de garder barre sur sa propre vie. Dans sa poitrine, je sentais son cœur battre un rythme nouveau, dans son regard brillait une douce lueur : désormais, elle userait de ses charmes pour remplir son porte-monnaie à sa guise, tout en faisant preuve de charité, d'abord envers ses parents qui attendaient ses mandats, ensuite vis-à-vis de ses clients. Au fond, les âmes errantes qu'elle cajolait nuitamment avaient autant besoin de Brigitte Lahaye que de Mère Teresa : sensualité et compassion, voilà ce qu'il lui fallait pour accomplir son nouveau rôle de psychologue de trottoir. Elle était la petite colombe prenant son envol pour indiquer la sortie du purgatoire aux martyrs du sexe, ce vol la conduisant elle-même, pensait-elle, vers la lumière, puisqu'elle arrêterait le jour où elle s'estimerait suffisamment en fonds pour se consacrer à d'autres activités plus reluisantes.

— Oui, mais pour l'instant, c'était son propre corps qu'elle faisait reluire tous les soirs. Si l'on hume avec bonheur les moiteurs laissées par l'être aimé, rien n'est plus insupportable que les relents de sueurs de partenaires de fortune, qui choisissent leur parfum sans penser à vous. À l'aube, lorsqu'elle rentrait chez elle, Mémoria n'allait au lit qu'après s'être récuré le corps, astiquant toute cavité jusqu'à l'irritation. Propre, elle se voulait propre, sans souillure aucune, ni sur sa peau ni sur ses vêtements, de sorte qu'elle mettait ses tenues coquines dans une valise réservée à cet effet et les lavait à part. Des tenues qu'elle cachait soigneusement à tout autre que Marie-Madeleine, tant elle s'évertuait à conserver une image de fille irréprochable.

— Ah là là, la pauvre ! soupira Coumba Djiguène. Elle voulait manger les fruits du palmier sans avoir la bouche rouge. Qu'est-ce qui fait l'être ? L'apparence ou la réalité ? Ce que les gens pensent de vous ou ce que vous portez en vous ? Puisque ce que l'on cache n'en existe pas moins, le mensonge n'est qu'une scission de soi-même, une peine qui vient en supplément ou remplace celle qu'on tente d'éviter en trichant. Tout délice non assumé porte le supplice en lui-même ! Ce n'est qu'une question de circonstance, de moment. Le sexe dans certaines conditions, c'est du chocolat dans une cuvette de W-C ! Un vrai cauchemar.

— Elle souffrait, notre chère Mémoria, affirma Oreiller. Depuis son entrée dans le commerce de la chair, elle dormait mal. Wôye ! hurlait-elle, raide. Elle faisait toujours le même cauchemar : une boule de poils se dérobait entre ses jambes fébriles, tiède, comme la langue du diable, humide comme des excréments frais, cette chose qui la frôlait lui hérissait les poils du corps. Wôye ! Boum ! Elle tombait de son lit, car dans son cauchemar, elle se sauvait, fuyant un gros rat. Au sol, elle reprenait son souffle, ses mains fourrageaient la moquette, cherchaient un point d'appui, à moins que ce ne fût de quoi se défendre.

— Bon, d'accord, Oreiller, fit Canapé, dubitatif, puisqu'elle posait sa tête sur toi pour dormir, je veux bien croire que tu aies été au courant de ses cauchemars, mais les détails, leur contenu, tout ça, comment pouvais-tu le savoir ?

— Étant donné qu'elle parlait toujours de rats pendant ses nuits agitées, j'en ai déduit qu'elle les affrontait lors de ses terreurs nocturnes.

— Eh oui, confirma Chasseur : depuis l'enfance, les rats incarnaient tous ses démons. Petite, lorsqu'elle vivait encore au village, elle ne supportait pas la vue de ces rongeurs. Depuis qu'un jour, dans une pièce où elle se trouva involontairement enfermée, elle en avait senti un grimper sur son corps et redescendre le long de ses jambes, elle avait développé une phobie des rats, tous ses cauchemars se déroulaient dans une chambre noire, peuplée de rats, dont le frôlement molletonneux représentait, pour elle, le paroxysme du dégoût. Alors, un routoutou cherchant son chemin, une boule de poils tiède, la bourse velue d'un client entre ses cuisses : un rat ! Voilà pourquoi le cauchemar lui revint, intégral, dès le soir de sa grande première dans le marché de la foufounette.

— Frotti-Frotta, les billets d'abord, les terreurs nocturnes après, traîna Canapé. Pourtant, elle persévéra. Comment pouvait-elle supporter cette angoisse permanente ?

— *Tirons notre courage de notre désespoir même* ! clama Montre, en bonne lectrice de Sénèque.

— Moi, Oreiller, je l'entendais tous les matins se répéter la réflexion suivante pour se donner le courage de se lever : « Il y a des pompiers qui vivent avec la peur de brûler vifs, des pilotes qui traversent la vie avec la crainte du crash, des marins qui ramènent toujours leurs gilets de sauvetages à quai ; pourtant, tous trouvent la force de continuer à exercer leur métier. Dans la vie, chacun boit sa tasse, je ne vais pas abandonner la mienne. Allez ! *Fluctuat nec mergitur* ! »

— Et, à sa façon, elle se mit à boire sa coupe, sans relâche ! affirma Montre, en remontant le temps. Elle avait fini d'écumer la clientèle nantie de sa boîte de nuit ou, plutôt, celle-ci s'était lassée de son charme exotique et flattait moins son porte-monnaie. La saucière qui passe de main en main finit par perdre de son mystère. D'ailleurs, la saucière, on la réclame rarement deux fois à table. Mémoria avait donc compris que, si le vin millésimé prend de la valeur, côté trottoir, on exige de la fesse les vertus du beaujolais nouveau : vite tiré, vite servi, vite consommé, vite oublié. Le succès résidait dans l'éphémère et toute habitude s'avérait néfaste. Il ne suffisait pas de changer de tenue et de maquillage, il fallait aussi varier les lieux d'exercice, capter les regards concupiscents en étant, en permanence, la nouvelle sirène à découvrir. D'une gare à l'autre, d'un hôtel à l'autre, d'une voiture à l'autre, de ruelle en impasse, son visage ne fuyait que les lumières vives, les ombres étant devenues ses meilleures complices. Munie de sa carte de séjour, elle testa bientôt la validité des accords de Schengen. On pouvait donc sans peine lire la carte des places les plus célèbres d'Europe sur la peau de son postérieur. Mais je crois que l'inusable Paire de bottines – qui nous écoute sans broncher, depuis si longtemps – vous racontera cet épisode mieux que moi. Elle qui a foulé terre et bitume, de jour comme de nuit, doit se souvenir encore de détails à ce sujet.

— Ah, oui ! Moi, Paire de bottes, elle m'avait choisie, chic, légère, avec de petits talons passe-partout, et portable en toute saison. J'en ai vu du pays, à ses pieds. À Strasbourg, quand le Rhin coulait tranquille sous le pont de l'Europe, Mémoria suivait le cours de l'union monétaire. Déterminée, elle exhibait ses jambes pour se démarquer des filles de l'Est. Même avant la mise en bouche, on ne confond pas le chocolat noir et le fromage blanc ! Non seulement ça permettait aux clients de faire aisément leur choix, mais ça détournait les fachos de son chemin. À Paris, les chairs chaudes qu'elle pouponnait au creux de ses paumes n'imitaient pas toujours la tour Eiffel, mais elles avaient le mérite d'enfler ses poches. À Lyon, elle serrait des lions et des lionceaux, qui faisaient entendre le même rugissement en gigotant dans ses bras, mais elle les distinguait à leurs coups de reins. À Bordeaux, la Garonne veillait avec elle, guidait son errance sans jamais réussir à laver la misère du monde qui venait se réfugier entre ses jambes. À Toulouse, gérant son blues non loin de la place du Capitole, elle ouvrait des braguettes, faisait des lassos avec des cravates, jouait la dominatrice hilare, quand les bien mariées comme les mal-mariées comptaient leurs roses fanées, en croyant leur époux à un dîner d'affaires ou retardé par une réunion fictive. Longtemps, Mémoria fut la déesse qui, par la grâce de sa magie nocturne, garantissait la paix des ménages, en apaisant les sadiques refoulés et en consolant les bons maris désespérés. Elle était la digue sociale contre laquelle déferlaient les furies libidineuses, le lustre à orgueil qui rendait leur sourire à des célibataires timides qui, pour avoir dégrafé cinquante porte-jarretelles tarifés, se proclament Don Juan.

— Bref, interrompit vieux Collier de perles, avec l'entraînement, son commerce se portait bien. Elle logeait dans des hôtels simples mais propres où elle rentrait dormir à l'aube, se réveillait à la mi-journée et semblait oublier ses cauchemars.

— Moi, Porte-Monnaie, je puis vous dire que chez les humains, l'état des poches reflète souvent celui de la tête.

— Moi, ils me rangent souvent dans leurs poches mais jamais dans leur tête, ronchonna Mouchoir. Tu veux dire qu'ils se mettent des billets de banque et des pièces dans la cervelle ?

— Mais arrête de tout prendre au pied de la lettre ! claironna Montre.

— C'est notre réunion qui met le pied à terre quand vous vous chamaillez de la sorte, dit Masque. En tant que président de séance, je demande à Porte-Monnaie de clarifier son discours.

— Oh, je notais simplement que la situation financière de Mémoria influait sur son moral. Sans loyer à payer – Marx ne lui réclamait toujours pas celui de son appartement strasbourgeois où elle aimait se réfugier de temps à autre –, elle découvrait une certaine sensation d'aisance qu'elle faisait partager aux siens. Bien plus conséquents, les mandats pour ses parents étaient maintenant d'une régularité exemplaire et les cassettes-courriers qu'elle recevait en retour s'en ressentaient. Pendant ses heures d'inactivité, plus que le calcul de ses recettes, les voix joyeuses qui s'échappaient de son dictaphone la consolaient et lui donnaient le courage d'enlacer le pire des monstres. Son père avait ouvert une nouvelle et grande boutique, sa mère avait de nouveau engagé une bonne, ses frères et sœurs fréquentaient le meilleur lycée privé de la capitale sénégalaise. Le baume au cœur, ses parents la remerciaient vivement de leur avoir offert des billets pour le pèlerinage à La Mecque : elle était la meilleure des filles. La seule note triste est qu'ils lui conseillaient d'être une épouse dévouée et saluaient chaleureusement un Makhou qu'elle n'avait plus revu depuis longtemps. Il est vrai qu'elle ne les avait pas informés de leur séparation, encore moins de sa nouvelle activité, mais ils n'avaient jamais rien demandé non plus. Même lorsque la nostalgie la poussait à leur téléphoner, on ne l'entretenait que des projets et des événements au pays, comme si sa vie à elle y était incluse ou était au point mort pendant qu'elle se trouvait à l'étranger. À part ces considérations, tout allait au mieux pour elle ; la sérénité, en quelque sorte.

— Je n'irai pas jusque-là, modéra Montre. Elle ne mendiait pas, ne dormait pas sous les ponts, n'était pas devenue une alcoolique paumée, mais pour tenir le coup, elle buvait de plus en plus et cela la fit déchoir des hauteurs luxueuses du capitalisme rose. Plus le tarif baissait, plus elle augmentait le nombre de ses clients. Très regardante à ses débuts, elle allait maintenant avec n'importe qui. À Perpignan, elle faillit prendre perpète pour une histoire de braquage meurtrier, ayant été arrêtée en compagnie des malfrats qui se l'offraient pour fêter leur succès de la veille. Relâchée par les enquêteurs, parmi lesquels elle avait reconnu deux de ses clients, elle jugea prudent de quitter la France pour un moment. À Berne, où elle se réfugia chez une collègue qui œuvrait à domicile, elle prit quelques vacances tout en continuant à doper ses finances. Là-bas, elle s'intéressait surtout aux croulants en quête de tendresse dont les attributs avaient été mis en berne par le poids des années, mais qui lui laissaient des chèques virils pour racheter leur fierté ramollie. Elle encaissait en se disant que les vieilles banques sont les plus sûres. Mais comme elle était bien plus jeune, plus fraîche et plus jolie que son hôte, celle-ci ne tarda pas à lui faire sentir son dépit de se voir reléguée au rang de second choix. Soudain à l'étroit, Mémoria rassembla ses fanfreluches et prit le large. Berlin sonnait bien à son oreille, prononcer le nom de cette ville laissait à ses lèvres un goût de bonbon, elle s'y hasarda quelques jours, mais ses difficultés linguistiques constituèrent un frein à son commerce. Comme elle avait aimé *Les Quatre Saisons* de Vivaldi et n'en était qu'à son printemps, elle se dit *vive la vie* et décida d'aller passer un été en Italie. Quand Rome somnolait, elle mouillait des cigares Piazza del Popolo. Là-bas, les résidus de ses lointaines leçons d'espagnol et de latin lui permirent de bricoler des bribes de dialogue avec sa clientèle. L'automne aux Pays-Bas, elle ne supporta point les Vénus en cage ; ankylosée au bout de quelques jours, elle sortit de la sienne et soutint à sa maquerelle-logeuse que même les poupées gonflables aspiraient à l'air libre. Et puis, l'hiver étant plus facile à endurer chez soi, là où on a son appartement, ses amis et ses habitudes, elle se hâta de revenir en France. Il fallait juste gagner de quoi hiberner, le racolage sous la neige, c'est à vous momifier une chatte venue des tropiques. Les trottoirs français, elle les avait tous pratiqués, de l'est à l'ouest, du nord au sud ; même à Lizzy-sur-Ourcq elle avait ses marques. À Paris, elle avait pris le métro dans tous les sens, était descendue partout, sauf à la station Liberté. Maintenant, elle rechignait à astreindre son corps au corpsà-corps. Fatiguée, elle revint dans son appartement strasbourgeois, où elle espérait trouver un peu d'elle-même. Après tant d'errance, de contacts sans tact, d'épuisement physique, elle se dit qu'une visite chez le docteur Palpetout s'imposait, juste comme ça, pour le plaisir d'entendre sa voix chaleureuse, la douceur d'une franche attention. Il lui donnerait peut-être du Biostim, de quoi tenir tête à la grippe hivernale. Le docteur la reçut joyeusement, lui donna des idées de lectures et lui conseilla une série d'analyses, qu'elle effectua de bon cœur. C'était juste pour se rassurer, se convainquit-elle. Puis, un jour, une voix familière la tira de sa grasse matinée : « Passez au cabinet aujourd'hui ou demain, mais en fin d'après-midi, mettons 18 h 30-19 heures, par là, vous serez ma dernière consultation, ainsi nous aurons plus de temps pour discuter. Oui, j'ai reçu les résultats de vos analyses ; ne vous inquiétez pas, je vous expliquerai tout ça demain. »

— Oh la la ! fit Dictionnaire ; puis, adoptant un ton de connaisseur : quand les médecins commencent à user de ce langage trop rassurant, ça sent la chimio.

— Tout de suite les grands mots, le rabroua Coumba Djiguène, comme s'il ne pouvait pas s'agir d'une simple gastro...

— Et toi, grinça Montre, tu n'as pas de jugeote, une gastro-entérite, crois-moi, elle l'aurait su avant son médecin ; quand t'as attrapé ce truc-là, c'est ta tinette qui t'explique le résultat de tes analyses. Mémoria allait bien. D'ailleurs, en se rendant à son rendez-vous, qu'elle trouvait tardif, elle s'imagina une appétissante recette pour le dîner : de la viande certainement, pour reprendre des forces, mais avec quelque chose d'épicé, de bien chaud, oui, n'importe quoi, mais quelque chose de savoureux, de moelleux, de doux, qui emplisse la bouche, enveloppe la langue, quelque chose qui fondrait dans sa gorge et s'insinuerait en elle pour napper son âme qui avait bien besoin d'un pansement. De la purée, oui, une purée bien onctueuse ! Avec du beurre, oui, plein de beurre ; pour sa ligne, trop rectiligne, qu'elle voulait arrondir. Elle visualisait sa gourmandise le soir venant : gloupe-glape, et voilà une bonne couche de bien-être plaquée sur ses plaies enfouies. Redécouvrant les joies des repas faits maison, elle ne laissait rien contrarier ses envies. « Les magasins auront certainement déjà fermé leurs portes à ma sortie du cabinet médical, j'y vais maintenant », se dit-elle. Elle fit un crochet, s'acheta quelques victuailles, des pommes de terre, du beurre de baratte et des œufs de gros calibre, mit le tout dans un panier qu'elle posa près d'elle dans la salle d'attente, sous le regard interrogateur de son vis-à-vis, l'avant-dernier patient. En revenant de sa consultation, elle passa devant la cathédrale. Face à la Maison Kammerzell, un restaurant qui vous donne l'appétit de Gargantua, un automate se tenait là, presque immobile, encerclé par la foule, son chapeau à l'envers devant lui. Arrivée à sa hauteur, Mémoria s'arrêta un instant, lui jeta quelque chose dans le chapeau et lui lança dans un rire sarcastique : « Ah ! ah ! Veinard, t'es planté là et t'as gagné une patate... » Pendant que l'assistance, perplexe, s'interrogeait sur le sens de cette étrange offrande, elle reprit sa marche en éructant : « Moi, j'ai traîné partout, usé mes talons sur tous les bitumes d'Europe, pour aider les miens, j'ai fait de mes jupes des écumoires de culs-terreux, et tu ne devineras jamais ce que j'ai gagné ! » Tout en ricanant à la manière d'une sorcière, elle sautillait, ondoyait comme une anguille et se faufilait parmi les badauds. Puis, saisie d'une soudaine colère, elle donna de violents coups de coude aux malappris qui avaient l'outrecuidance d'encombrer son chemin vers l'arrêt de bus. De l'espace ! L'ouragan Mitch ne laissait rien entraver son passage, même pas les jeunes couples qui, forts de leurs naïves certitudes, se promenaient enlacés. C'était surtout ceux-là que Mémoria avait envie de réduire en purée.

— Purée, ratée ! C'est le cas de le dire, se désola Assiette. Quand même, après nous avoir mis à la diète durant ses longues pérégrinations, elle avait encore le toupet de nous priver de dîner. Mais soyons compréhensifs, ce soir-là, notre pauvre Mémoria n'était pas d'humeur à se concocter de quoi flatter son palais.

— Ah ça non, crissa Couteau ; pour elle, c'était un soir à hacher menu ses nerfs. Vautrée dans le canapé, elle déversa des ondées de larmes sur sa peluche qu'elle triturait dans un mouvement incontrôlable.

— Chnouf-chnouf, fit Doudou-gris, en se tâtant les tempes. C'est vrai, c'est vrai, depuis, j'ai l'œil de travers et une oreille en moins. Elle aimait dormir avec moi, ne trouvait le sommeil que quand elle me sentait blotti contre son flanc ou plaqué contre sa joue, mais ses jours de colère étaient, pour moi, synonymes de torture. La nouvelle annoncée par son médecin devait être terrible, si j'en juge par mon calvaire de cette nuit-là.

— Ce n'était pas seulement la teneur de sa consultation qui la rongeait, affirma Montre. Quand, lassée d'écouter le bruit de ses talons sur les trottoirs d'Europe et dégoûtée de coucher à froid pour des prix modiques, Mémoria revenait chez elle, un puits noir de nostalgie se creusait sous ses pieds. Toute mauvaise nouvelle n'était plus qu'une lame affûtée par les circonstances pour éventrer son outre à chagrins. Et ce soir-là plus que jamais. Une corde de bateau, un câble du Clemenceau, cent lianes fraîches tressées ou mille racines de fromager, voilà ce qu'il lui fallait alors pour rester arrimée à la terre. Pendant ces moments d'angoisse, l'Afrique devenait son arbre du bonheur et Makhou représentait la seule branche par laquelle s'y accrocher. Elle s'était persuadée que beaucoup des personnes qu'elle fréquentait ne savaient rien d'elle. L'oreille ne respire pas, mais elle seule donne du souffle quand la vie nous asphyxie. Et pour Mémoria, il n'y avait qu'une oreille digne de ses confidences, celle de Makhou. Elle ne l'appelait plus, elle le harcelait, tous les soirs. Téléphone nous en dira peut-être davantage.

— Oh mon Dieu, j'en perdrais le fil ! Leurs dialogues étaient tellement bizarres que je préfère m'abstenir de vous les rapporter.

— Ah non, Téléphone, ne nous laisse pas sur notre faim, s'insurgea l'assemblée.

— J'hésite vraiment à livrer publiquement de telles paroles. Et puis, depuis le temps que je garde jalousement les derniers dialogues téléphoniques entre notre chère maîtresse et Makhou, j'ai peut-être oublié des choses. Vous m'avez ignoré depuis un moment, mais je savais que tôt ou tard vous reviendriez vers moi, car je suis la mémoire des Hommes, je garde jusqu'au timbre de leur voix.

— N'importe quoi, pauvre Téléphone, t'oublies que moi, Ordinateur, je peux stocker plus d'informations que mille de tes semblables ?

— Cessez de vous chamailler, intervint Montre. D'après le professeur d'histoire de Mémoria, les livres sont la mémoire de l'humanité, les écrivains sont en quelque sorte des archivistes des faits et mœurs de leur époque. L'ennui, c'est qu'ils brouillent souvent les pistes, si bien qu'il vaut mieux se fier aux historiens, dont le défaut est qu'ils n'hésitent pas à transformer des miniatures d'événements en épopées. Tout compte fait, mieux vaut écouter les archéologues ; par exemple, si l'un d'entre eux nous découvrait et nous identifiait comme objets ayant appartenu à Mémoria, il pourrait retracer son histoire grâce à la nôtre. Cependant, l'archéologie aussi est loin d'être exempte de failles : non seulement elle a besoin d'épaves millénaires, mais elle révèle toujours un puzzle aux innombrables trous, de sorte que son chemin vers la vérité est pavé d'hypothèses...

— Ce n'est pas une sinécure que de présider une réunion avec vous, se plaignit Masque. Si la tradition orale égratigne ses sujets au fur et à mesure que le temps passe, elle a au moins le mérite de favoriser une certaine continuité thématique. Veuillez vous taire enfin ! En attendant que mon ordre soit suivi d'effet, la séance est suspendue !

X

Masque observait l'assistance et mesurait avec satisfaction son autorité grandissante. On ne contestait plus trop ses décisions et chacune de ses remarques était suivie d'effet.

— Maintenant que le calme est revenu, lança-t-il en maître de cérémonie, je rends la parole à Téléphone. De quoi Mémoria parlait-elle si souvent à Makhou ? Avait-elle enfin cessé de faire sa Barbara, dans le style *Dites-le-moi du bout des lèvres* ?

— Attendez, bip, oui, on y est, voilà : c'est Mémoria qui commençait, comme à l'accoutumée, avec ses sempiternelles phrases qu'elle voulait hésitantes, tout en les disposant tel un carrelet afin de tenir en otage l'attention de son interlocuteur :

« Mémoria – Salut, c'est moi. Je te dérange ? Je sais qu'il est tard, je ne voulais pas t'appeler mais...

Makhou – Salut Mémoria, tu vas bien ?

Mémoria – J'ai froid.

Makhou – Je t'ai déjà proposé le châle de mes mots.

Mémoria – Des mots ! Il est de plus en plus troué, ton châle. On dirait que tu ne connais pas l'hiver alsacien.

Makhou – Change d'appartement. Quand tu auras un appartement à toi, tu auras moins froid. Celui-ci fuit de partout…

Mémoria – C'est un froid intérieur qui n'a rien à voir avec les murs.

Makhou – Le chagrin que tu portes te glace les sangs.

Mémoria – Que fais-tu contre ? C'est ton langage qui me glace les sangs ! Tu te veux zen, à toujours soigner les symptômes afin de mieux te détourner des causes profondes du mal. Entre zen et indifférent, il n'y a qu'un pas et tu l'as franchi depuis longtemps.

Makhou – Tu veux faire le ménage dans ma tête, mais l'as-tu seulement fait dans la tienne ? Tu dois curer ton chagrin, vider cette poche d'amertume qui t'épuise et te plombe. Tu dois tourner la page de notre mariage.

Mémoria – C'est fait ! Je n'ai plus aucune amitié pour celui qui fut mon mari. Détrompe-toi, je ne quémande plus ton amour, je te parle en tant que Sénégalais, tu es le seul à savoir qui je suis vraiment.

Makhou – Je ne te parle pas de mari, mais de l'idée du mariage. Tu as fait le deuil du premier, mais pas du second. Le disque est rayé, mais la marche funèbre n'en finit pas. Fous cette musique par la fenêtre ! Tu pourras repartir du bon pied. Et peut-être te remarier à nouveau... avec quelqu'un qui...

Mémoria – Qui sera forcément mieux que toi ! Merci pour tes conseils intéressés ! Tu aimerais bien me caser dans les bras du premier venu pour te débarrasser de moi... Je ne me marierai plus, je te le parie !

Makhou – On parie quoi ? Une bouteille de vin blanc !

Mémoria – Je ne bois pas d'alcool. Et toi, le blanc, tu ne l'avales pas qu'en bouteille. Ton pari est minable. Je parie une nuit avec toi, sous notre couette bien chaude, dans nos draps roses. Je mettrai la nuisette de soie que tu m'avais offerte pour mon anniversaire. Tu vivras la nuit la plus coquine de ta vie, la plus belle. Le lendemain matin, tu serais tellement épuisé que je serais obligée de te porter ton petit déjeuner au lit, en porte-jarretelles d'un rouge éclatant ; tu me ferais mille bisous, en me suppliant de renouveler l'expérience...

Makhou – Bravo ! Quelle imagination ! Je te signale que ce serait un adultère, puisque je vis avec Max, comme tu le sais. Tu as de ces idées !

Mémoria – Ha ! ha ! ha ! Adultère, adultère, épouse-le pendant qu'on y est ; je veux bien témoigner, devant Éros, des délices dont tu te prives pour un petit-bourgeois en manque de sensations. Ha ! ha ! ha ! Adultère ! Ainsi, même les traîtres ont un honneur à défendre ! Ha ! ha ! ha !

Makhou – J'aime ton rire. J'aime ta voix, bien qu'elle soit chargée de chagrin. J'aime les voix rauques, comme la tienne. Je voudrais que tu chantes à nouveau. Le blues, par exemple, ça purge le cœur, ça soulage, ça berce, ça cajole les âmes en peine, cela te ferait du bien, et à moi aussi.

Mémoria – Tant pis pour toi, tu n'as jamais voulu m'apprendre à jouer de la guitare...

Makhou – Chante, ma belle, seulement chanter ; ta voix, c'est le meilleur instrument de musique que je connaisse.

Mémoria – Cela fait longtemps que je ne chante plus. Je déchante. Tu aimes ma voix, mais est-ce que tu m'aimes, moi ?

Makhou – Je te l'ai déjà dit.

Mémoria – C'est si dur de me le répéter ?

Makhou – Je t'aime (murmure-t-il).

Mémoria – Plus fort !

Makhou – Je suis au téléphone... au salon, Max est dans la chambre, juste à côté...

Mémoria – Prétexte ! Tu me fuis ! Tu es un artiste de la fuite, un virtuose de l'esquive, tu es le matador et je suis le taureau, je m'épuise, je suis à bout, je chancelle, la terre se dérobe sous mes pieds. Et toi, cambré comme un Sénégalais, tu lèves le bras vers le public. Pourquoi cette mise à mort ?

Makhou – Tu n'es pas un taureau dans l'arène. Tu es une mouche qui cogne, cogne contre la vitre et qui se demande pourquoi elle a mal.

Mémoria – Merci pour la comparaison !

Makhou – Tu te cognes au carreau, sans voir que la fenêtre est grande ouverte pour l'amitié ; j'ai beaucoup de tendresse pour toi, tu le sais.

Mémoria – Je vais partir, disparaître au fond d'un trou, bientôt tu ne me verras plus. (Elle pleure).

Makhou – Je te retrouverai.

Mémoria – Oh ! que non (elle pleure toujours). Je n'ai pas de chance avec les hommes. Celui que je regarde ne me voit pas, et ceux qui me voient me regardent mal.

Makhou – Tu as de la chance puisque tu m'as. Ressaisis-toi, ta vie ne fait que commencer. Comme on dit au pays : c'est agréable de se tenir, bras dessus bras dessous, mais chacun est capable de porter seul ses deux épaules. Il faut croire en toi-même. Face à l'existence, on est fondamentalement seul…

Mémoria – Oui, seul, absolument seul face aux tortures de la vie ! Tu me l'as assez répété ! Alors, la chance de t'avoir, ça signifie quoi ? Il ne te suffit pas d'être cruel, tu es également présomptueux. Et puis, pourquoi tous ces conseils ? Qui te crois-tu pour me dire ce que je dois faire ? Le titre d'ex-mari ne te sied même pas. Tu n'es pas mon père, tu n'es pas mon frère, tu n'es pas mon gourou, tu n'es pas mon psy ! Je te demande juste de me tenir dans tes bras, de temps en temps. C'est trop te demander ? C'est tellement peu, par rapport à ce que tu donnes à l'autre zigoto, c'est infime, cela ne devrait pas le déranger. Je demande juste une miette et tu prétends que je vais vous mettre à la famine. Juste une miette, une lumineuse miette de toi dans mon ciel ténébreux d'Europe...

Makhou – Il ne partage pas. C'est comme ça. Ni miette ni croûton. D'ailleurs, tu mérites mieux que la becquée occasionnelle d'un homo, casé de surcroît.

Mémoria – Dis-moi des choses plus tendres...

Makhou – À condition que tu me chantes quelque chose.

Mémoria – Barbara, par exemple...

Makhou – Euh ! Oui, pourquoi pas.

Mémoria :

[...]

Dis, mais quand reviendras-tu ?
Dis, au moins le sais-tu ?
Que tout le temps qui passe
Ne se rattrape guère
Que tout le temps perdu
Ne se rattrape plus./

J'ai beau t'aimer encore
J'ai beau t'aimer toujours
J'ai beau n'aimer que toi
J'ai beau t'aimer d'amour
Si tu ne comprends pas qu'il te faut revenir

Je ferai de nous deux mes plus beaux souvenirs
Je reprendrai ma route, le monde m'émerveille
J'irai me réchauffer à d'autres soleils
Je ne suis pas de celles qui meurent de chagrin
Je n'ai pas la vertu des femmes de marins./

Dis, mais quand reviendras-tu ?
Dis, au moins le sais-tu ?
Que tout le temps qui passe
Ne se rattrape guère
Que tout le temps perdu
Ne se rattrape plus./

Makhou – Bravo, tu chantes toujours aussi bien !

Mémoria – Dis-moi que tu m'aimes…

Makhou – Je ne peux pas, Max n'est pas loin.

Mémoria – Un jour, tu ne pourras plus me le dire du tout.

Makhou – Qu'est-ce que tu veux dire ?

Mémoria – Qu'il sera trop tard (elle fit résonner son rire de dépit), tu seras bientôt débarrassé de moi ! Le linceul est le plus solide des remparts !

Makhou – Mémoria ! Pas de chantage, on ne rigole pas avec ces choses-là ! »

— Ah, ces hommes, dès qu'une femme leur parle de son mal-être, ils la voient déjà suicidée pour eux. Quels prétentieux ! même délaissée, déprimée et geignarde, une femme peut mourir d'autre chose que du syndrome de Juliette, protesta Coumba Djiguène.

— Reconnaissez tout de même, implora Chasseur, que les propos de Mémoria avaient de quoi menacer la sérénité du plus placide des hommes, tout en engageant directement sa responsabilité dans le drame annoncé.

— Celui qui épouvante ne fait qu'imposer sa propre peur à l'autre, lança le sage Masque. Notre Mémoria devait couver une indicible terreur.

— Masque a vu juste, soutint Montre. Cette nuit-là, après avoir raccroché son téléphone, Mémoria s'agitait comme une puce dans l'appartement, passant d'une pièce à l'autre. Sa frénésie avait besoin d'espace. Quelque chose de plus puissant que sa volonté la tenaillait. L'heure n'était plus raisonnable lorsqu'elle chaussa ses bottines et claqua la porte derrière elle. Une promenade, pensa-t-elle, lui ferait plus de bien que le plus confortable des lits. La marche lui éviterait de faire face aux innombrables équations insolubles qui peuplaient sa tête. S'abrutir de pensées absurdes, n'induisant aucune nécessité de compréhension, lui parut la meilleure méthode pour soulager son esprit. Dès qu'elle fut dans la rue, elle décida de suivre le tracé des urbanistes en prenant systématiquement tout passage situé à sa gauche. Au bout d'une heure de cet exercice, elle se retrouva limitée dans sa progression par une rambarde d'autoroute. Contrariée un instant, elle retroussa sa longue jupe, escalada l'obstacle, traversa la chaussée sans vigilance, franchit le second barrage et poursuivit son chemin. Courtisane, la ville scintillait de ses faux diamants et semblait l'inviter vers la droite. Elle bifurqua dans ce sens avec un nouvel objectif : passer devant les boutiques et les restaurants, afin d'observer, à la faveur de la nuit, ce que pouvait bien cacher la façade de leurs stores, jamais visible quand le commerce étale son sourire diurne. La cité s'endormait, à moins qu'épuisée de porter la détresse humaine elle ne se blottit sur elle-même, laissant à ses multiples prédateurs la liberté de bondir sur leur proie. Consciente des dangers, Mémoria s'en moquait. Machinalement, elle chantonnait des mots qui, en journée, auraient étonné les passants, des mots remontés spontanément de ses lointains souvenirs et qui ne quittaient plus sa langue. Dans son brouillard d'Europe, ces paroles bien de chez elle imposèrent leur mélodie : « *Massambaye M'berry N'dao/bèye dou rasse dème goudé...* » ; c'était une chanson à propos du danger de mort guettant toute chèvre qui, à la recherche de fruits, s'éloignerait nuitamment de sa bergerie. « Je n'ai pas peur du loup ! Je n'ai plus peur du loup ! Que ses crocs me délivrent ! », ajoutait-elle. Devant un restaurant réputé du centre-ville, elle fit une halte, éclata de rire en tapant des mains ; sur la façade du store baissé, on lisait : « Mesdames, messieurs de la France d'en haut, mangez vos étoiles, vous vous soulagerez exactement comme nous, le marbre de vos W-C n'y changera rien. Signé : Gavroche. » Après plusieurs relectures, Mémoria ramassa un caillou et entreprit de laisser un message complice au pseudo-Gavroche. À force de gratter la peinture, elle réussit à dessiner une cuvette fumante, cartouche du message suivant : « Ne t'en fais pas, Gavroche, ici viennent choir les délices de la cuisine ! » Son forfait accompli, elle s'adossa à l'angle du mur, puis s'affaissa comme une poupée de chiffon. Transie de froid, elle ramena ses genoux sous son menton et se mit à souffler dans ses mains gelées, en essayant vainement de contenir son tremblement. Soudain, deux boules lumineuses, sorties de nulle part, éclairèrent son visage. À l'autre bout de la rue, une voiture venait de bifurquer dans sa direction. À sa hauteur, le conducteur ralentit et klaxonna. Elle enfonça sa tête entre ses genoux : un salaud, un pervers, pensa-t-elle, en faisant l'opossum. Le moteur vrombit, elle bondit, prête à s'enfuir, mais, suivant le véhicule du regard, elle remarqua que c'était un taxi. Elle quitta l'angle du restaurant, s'engagea dans la rue parallèle et croisa le taxi qui revenait sur son sillage. Le chauffeur fit un appel de phares, s'immobilisa devant elle et s'extirpa de sa voiture sans retirer ses clefs. « Écoutez, ne vous inquiétez pas, dit-il en levant doucement les mains vers elle ; voilà, vous ne m'avez pas l'air d'une clocharde, je me suis dit que…, que l'heure est bien tardive, voire dangereuse, pour une fille, dans la rue… » Comme Mémoria, interloquée, écarquillait les yeux, l'homme tenta de la convaincre de monter dans la voiture, en justifiant sa démarche : « Vous savez, euh…, non, bien sûr que non, mais comment vous expliquer ? Bref, j'ai ma fille qui vit aux USA, elle est étrangère là-bas, comme vous ici, enfin, excusez-moi, peut-être que je me trompe… » « Non, non », se contenta de murmurer Mémoria, un peu plus avenante. « Bon, poursuivit l'homme, soulagé d'avoir échappé à l'erreur de jugement. Je vous disais que ma fille vit à l'étranger, alors, de vous voir là, dans le froid, en pleine nuit, ça m'attriste vraiment ; enfin, j'imagine ma fille perdue là-bas, toute seule et, et…, je n'ai pas pu m'empêcher de, de… Enfin, si vous le voulez bien, je peux vous déposer chez vous, c'est…, c'est plus prudent. Vous ne croyez pas ? » Mémoria le regarda droit dans les yeux, hésita deux secondes, puis, rassurée, monta dans le taxi, à droite du chauffeur. S'il y a plein de salauds sur terre, pourquoi n'y aurait-il pas des gens de bien, puisque le verbe permet la thèse comme l'antithèse, ayant nommé la bonté comme la méchanceté.

— Détrompe-toi, Montre, intervint Masque, ces notions ne sont pas antinomiques dans la nature humaine, leur concomitance en un seul être est même plus que fréquente.

— Admettons, comme disait le professeur de français de Mémoria : si toutes les attitudes sont dans la nature humaine, tout est question de contexte. Cette nuit-là, lorsque la jeune femme vit le taxi se garer devant la porte de son immeuble, elle n'avait plus de doute quant à la sincérité de son conducteur. En cours de route, l'homme lui avait demandé son adresse, son pays d'origine, son état de santé, car il s'inquiétait toujours pour elle. Arrivé à destination, il refusa le prix de la course, se répandit en conseils paternels, insista pour obtenir son téléphone afin de pouvoir prendre de ses nouvelles, et patienta le temps que la silhouette de sa passagère disparaisse dans le hall d'entrée du bâtiment. En guise de remerciement, il n'eut qu'un bref signe de main, mais cela suffit à lui donner un sourire discret sous sa moustache. Le visage empreint de compassion, il démarra, heureux d'avoir agi comme un bon père, un père à qui manquait sa fille partie poursuivre ses rêves de jeunesse aux USA.

— Eh oui, dit Coumba Djiguène, dépitée, l'amour ne nous vient pas forcément de ceux desquels nous l'attendons. Et c'est tant mieux qu'il y en ait qui donnent gratuitement là où d'autres retiennent ce qu'on leur réclame. Le hasard se trompe moins que les Hommes.

— Voyons, ma chère, l'amadoua Masque, je crois déceler dans tes propos une pointe de perfidie visant Makhou. Évitons les considérations hâtives, déroulons la bobine historique et suivons-en tranquillement le fil : le tisserand ne fait pas le pagne en un battement de cils. Makhou avait peut-être besoin de temps pour rassembler ses pensées avant d'agir en conséquence.

— Nul ne peut devancer Chronos, affirma Montre, les choses suivent donc leur cours. Pour Mémoria, elles allèrent de mal en pis. De sa déraisonnable promenade nocturne, elle avait gardé le souvenir merveilleux du chauffeur moustachu, qu'elle avait baptisé Ange, mais aussi une méchante grippe qui la cloua au lit pendant un bon moment. Ayant retrouvé sa carapace d'orgueil, elle avait décidé de ne plus appeler Makhou à l'aide. De toute façon, son bas de laine pouvait lui permettre de faire la fière pendant des lunes. Comme promis, Ange lui téléphonait épisodiquement pour prendre de ses nouvelles. Pudique, elle faisait barrage à sa sollicitude, en lui répétant sans cesse la phrase la plus courte et la plus mensongère de la langue française : *ça va*. Bien que le timbre de sa voix constituât le plus sévère des démentis, Ange se contentait de cette réponse laconique et lui racontait un peu sa vie, avant de raccrocher avec un sentiment de curiosité inassouvie. Cette petite semblait couver un puits de souffrance. Sans que rien l'y obligeât, Ange se mit en devoir de veiller sur elle. Dépassant sa propre gêne, il se dévoilait sciemment à elle, espérant la pousser à en faire autant. Des mois passèrent. La petite s'agrippait toujours à son secret. Depuis quelque temps, elle se rendait régulièrement chez le docteur Palpetout et rentrait avec des ordonnances de plus en plus longues. Opportuniste, la grippe n'était pas seule à ronger son corps couvert de pustules. Entre diarrhées et vomissements, elle avait à peine le temps de digérer une patate à l'eau. Un jour, de retour d'une consultation, elle s'effondra sur le canapé et fondit en larmes : le docteur venait de lui proposer une hospitalisation qu'il jugeait urgente. Elle pleurait encore lorsque le téléphone se mit à sonner. Elle ferma les yeux, serra les poings et formula un vœu de tout son être : « Pourvu que ce soit Makhou ! »

— Ah oui ! Je me souviens, cria Téléphone. Mais ce n'était pas Makhou, c'était la voix doucereuse du taximan : « Comment va ma belle demoiselle aujourd'hui ? », eut-il le temps d'interroger avant de s'entendre répondre par un « Ça va » suivi d'un sanglot. « Écoutez, je ne voudrais pas vous laisser comme ça, vous comprenez, supplia-t-il, je vais passer, enfin si vous m'y autorisez ; on pourrait prendre un café, parler un peu, ça vous ferait du bien, qu'en dites-vous ? » « Oui, oui... » hoqueta Mémoria, trahie par ses nerfs.

— Eh oui, dit Masque, « ça va, ça va », ce n'était qu'une digue de paille, vite emportée par le torrent de larmes...

— Effectivement, enchaîna la grande table du salon ; Ange arriva très vite et déposa sur moi une belle tarte aux pommes. Mémoria fit un café, qu'elle rata, comme d'habitude, mais ils s'en contentèrent. Avec beaucoup de tact, Ange poussa son hôte à la confidence et pour une fois, elle ne fit pas de manières. Entre quelques gorgées de son mauvais café, elle dégurgita sa vie : son enfance heureuse au Sénégal, le mariage tronqué, la France, la rencontre de Makhou avec Max, la séparation, le manque d'argent, la boîte de nuit avec Marie-Madeleine, les trottoirs d'Europe, puis cette maladie et l'hospitalisation qu'elle ne voulait pas accepter. Elle préférerait rentrer chez elle, auprès des siens ; seulement, elle ne se sentait pas assez solide pour faire le voyage seule et ne voulait pas quémander la compassion de Makhou. Après avoir attentivement écouté le long récit de sa protégée, Ange, désolé, la consola, l'encouragea à solliciter Makhou ; après tout, il lui devait assistance ; non seulement elle se trouvait en France par sa faute, mais aussi parce qu'aux yeux de la loi ils étaient encore unis par les liens du mariage. Avant de prendre congé, Ange insista tant et si bien que le sourire las de Mémoria lui promit d'appliquer ses conseils : elle accepterait l'hospitalisation en attendant de convaincre Makhou de la ramener au pays, mais au fond d'elle-même elle était résolue à n'en rien faire.

— Sage homme que ce taximan, il avait dit vrai ! s'égosilla Coumba Djiguène : Quand le cheval est lent, il faut l'éperonner. Mémoria devait le comprendre et pousser Makhou à assumer ses responsabilités.

— Dites donc, Coumba Djiguène, fit Chasseur, décochant une de ses flèches empoisonnées par la jalousie, depuis quand les femmes se mêlent-elles d'équitation ? Il ne te suffit plus de te pâmer devant Masque, il te faut maintenant imiter son langage : pour l'appâter, tu fais du miné…, euh ! du minet… euh… du minétisme ?

— Du *mimétisme* ! carillonna Montre. Tu veux dire *mimétisme* ! En dépit des avantages que confère le statut de minet, présentement endossé par ton inoxydable rival, Masque, qui, ayant singé le jeunisme des humains, refuse de prendre une ride et s'obstine à cultiver ce nouvel idéal mondain : le *minétisme* ! Eh oui, même s'il ne figure pas dans les dictionnaires, le *minétisme* existe bel et bien dans l'esprit contemporain ; c'est sans doute pourquoi Coumba Djiguène l'a employé.

— Trève de verbiage ! rugit Masque, ne mimons pas la glose des humains, elle n'apporte rien à notre réunion. Minets ou pas, revenons à nos moutons !

— N'importe quoi ! railla Chasseur ; puisqu'il n'a pas le courage du chasseur, Masque se prend maintenant pour un berger ! Allons donc faire paître les moutons sur ton morceau de mur !

— Ça suffit, occupons-nous de nos oignons ! martela Masque.

— Ah, ah ! persifla encore Chasseur, on y est, il se veut aussi cultivateur ; enfin, remarquez,

Coumba Djiguène saurait quoi faire des bulbes d'un soupirant jardinier !

— Ce que tu peux être bête à la fin ! Bon, qui veut bien poursuivre et nous parler encore de notre chère Mémoria ? Avait-elle échappé au joug de son ego pour écouter le juste conseil de son Ange si bien nommé ?

— Gring, gring ! fit Téléphone. Ah oui, j'en suis témoin ! Le téléphone aide parfois les humains à rembobiner discrètement leur orgueil, puisqu'il permet d'éviter l'œil sagace et le sourire en coin qui rend le face-à-face insoutenable pour qui rend les armes. Afin de se rapprocher de Makhou sans dévoiler sa gêne, Mémoria tenta le contact à distance, en se servant du verbe comme d'un fleuret. Voilà comment elle s'adressa à lui :

« Mémoria – Salut, c'est moi, si je te dérange, dis-le-moi.

Makhou – Du tout ! Ça va, toi ?

Mémoria – Et pourquoi n'irais-je pas ?

Makhou – Ben, je ne sais pas moi, ça fait long-temps que je n'ai pas eu de tes nouvelles, tu étais encore en voyage ?

Mémoria – Non.

Makhou – Tu étais chez toi ? Silencieuse, depuis tout ce temps ?

Mémoria – Oui.

Makhou – Tu sortais, au moins, je veux dire t'as vu des amis ?

Mémoria – Non.

Makhou – Mais enfin, Mémoria, tu ne peux pas rester comme ça !

Mémoria – Et pourquoi pas ?

Makhou – Parce que, euh…, parce que tu dois voir du monde.

Mémoria – Et si je n'ai pas envie ?

Makhou – Mais un être humain a besoin de voir des gens.

Mémoria – Pas tout le temps, même si l'hypocrisie sociale nous commande de soutenir le contraire.

Makhou – OK. Je vois, Mademoiselle n'est pas simplement casanière, elle est également devenue misanthrope !

Mémoria – Vas-y, c'est facile de juger. Après ce que tu as ourdi avec mes parents à mes dépens, tu es sans nul doute le mieux placé pour comprendre mon attitude. Toutes ces misères tapies au fond de moi, l'insupportable sort qui est le mien, ce n'est pas aux cochons d'Inde ni aux loups de Sibérie que je le dois, mais bien aux humains ; et quand j'y pense, ils me repoussent plus qu'ils ne m'attirent. Quoi de plus normal ? On a le devoir de respecter les humains, jamais l'obligation de vivre avec.

Makhou – Houlà ! Mais qu'est-ce qui te prend encore ? Et puis, tu as une de ces voix ! Ou tu es malade, ou tu vas me chanter le blues, je le sens venir. D'ailleurs, je veux bien te donner quelques cours de guitare.

Mémoria – Non, c'est trop tard. Bientôt, tu pourras chanter le blues à ton tour : *Mémoria, in memoriam*, etc. Retiens bien ces mots de Rainer Maria Rilke, ils pourraient te servir, un jour pas si lointain :

N'est-ce pas triste que nos yeux se ferment ?
On voudrait avoir les yeux toujours ouverts,
Pour avoir vu avant le terme,
Tout ce que l'on perd.

Makhou – Arrête, tu vas me faire chialer.

Mémoria – J'aurais voulu te fredonner, altière, la chanson de Gainsbourg : « *Je suis venu te dire que je m'en vais/Et tes larmes n'y pourront rien changer...* » ; hélas, même pour ça il est déjà trop tard. Je ne me sens plus assez solide pour m'offrir une retraite de lionne. Il me faut en plus solliciter la compagnie de celui qui a ruiné mes illusions, mon amour, ma vie.

Makhou – Attends, Mémoria, arrête ton discours énigmatique. Veux-tu m'expliquer le fond de ta pensée ? Que se passe-t-il vraiment ?

Mémoria – Tu cherchais l'ombre, voilà le crépuscule. Tu t'acharnais à m'éloigner de toi, la faucheuse s'approche à grands pas, elle vole à ton secours, réjouis-toi au moins.

Makhou – Mémoria, tu n'es pas drôle.

Mémoria – Ramène-moi chez nous, s'il te plaît, le plus tôt possible. Je t'en prie, Makhou, ne me laisse pas mourir ici, rends mon corps à mes parents, à la terre qui m'a vue naître, c'est la seule chose que je te demande : pas d'amour, pas de pitié, seulement un peu d'humanité… »

Elle pleurait, suppliait, perdue dans ses pensées, mais il n'y avait plus personne à l'autre bout du fil.

— Eh oui, Téléphone, et pour cause, hasarda Porte : Makhou était sans doute déjà en route vers chez elle. Lorsque la sonnerie de son interphone retentit, elle était encore accrochée au téléphone, en train de geindre. Elle ouvrit et présenta une mine dévastée au nouveau venu, sur le visage duquel la stupéfaction le disputait à l'émotion des retrouvailles.

— Effectivement, Makhou avait débarqué en catastrophe. Comment aurait-il pu dormir ce soir-là, sans clarifier les informations désordonnées que lui balançait Mémoria ? Assis à côté d'elle, sur moi, Canapé, il se mit aussitôt à l'interroger. Voici ce qui m'est resté de leur conversation :

« Makhou – Mais que se passe-t-il ? Tu as vu ta tête ? Si c'est encore un de tes chantages, ce n'est pas drôle !

Mémoria – Je sais bien, la vie non plus. Je voudrais bien que ce ne soit qu'une blague. Mais vois-tu, je suis vraiment malade. Malgré mon respect scrupuleux des recommandations du médecin, je suis de plus en plus mal en point, on ne peut plus rien pour moi. Le diagnostic a été tardif. Incurable, tu entends ? Cette saleté est incurable !

Makhou – Tu veux dire que... que...

Mémoria – Oui, et que je n'en ai plus pour longtemps. Mon médecin veut m'hospitaliser, mais je ne suis pas d'accord ; j'aimerais que tu me ramènes au pays, je veux rentrer, revoir les miens, humer une dernière brise océane, là-bas, au seuil de l'Atlantique.

Makhou – Tu es sûre que...

Mémoria – Je suis sûre, certaine que mes heures sont comptées. La seule chose que je te demande, c'est de m'écouter, pour une fois, s'il te plaît : je veux rentrer au pays, au plus vite. Tu peux me raccompagner et revenir aussitôt. Ne me dis pas que Max te refuserait une petite absence d'une semaine, ce n'est pas assez long pour mettre ses affaires en danger. À ton retour, tu seras enfin seul et totalement libre d'attaches, lui aussi sera débarrassé de moi – la « coépouse » envahissante ! Avoue que ce ne serait pas si mal, pour vous deux.

Makhou – Là n'est pas le problème, il s'agit de savoir si, arrivée au pays, tu bénéficieras de soins aussi efficaces que ceux qu'on te propose ici.

Mémoria – Je ne me préoccupe plus de ce genre de questions. La vérité est que, soins ou pas soins, je dérive d'une manière irréversible vers le bout de ma ligne ; autant me donner l'opportunité de faire mes adieux à ceux qui me sont chers, à ma famille que je n'ai pas vue depuis belle lurette.

Makhou – C'est un sentiment que je peux comprendre. Tu peux compter sur moi, mais laisse-moi quelques jours, le temps de prendre des renseignements et de m'occuper des formalités du voyage. »

— Il a eu la bonne réaction, fit remarquer Chasseur. Un honnête homme ne pouvait agir autrement.

— Gardons-nous de juger la pièce à son dernier acte ! répliqua Coumba Djiguène. C'est facile de jouer le héros, de faire semblant de voler au secours d'une femme blessée après l'avoir jetée aux loups. Makhou agissait peut-être moins par bonté que mû par un obscur sentiment de culpabilité. Ce qui est dommage, c'est que les humains attendent parfois le dernier moment pour étaler leur inutile compassion, là où des actes réfléchis auraient pu éviter le pire. La générosité de dernière minute, ça ne rachète pas une conscience.

— Quoi qu'il en soit, Makhou se révéla efficace. Moi, Montre, je l'ai vu expédier ses affaires courantes en quelques jours. Je le sais, car il ne quittait plus Mémoria. Il la tenait informée des préparatifs, afin qu'elle ne doutât point de sa bonne volonté.

— Notre Makhou qui êtes aux commandes, que votre volonté soit faite ! Sur terre comme dans les airs ! moqua Canapé. Et sa volonté fut faite. Le voyage, un drame pour nous autres meubles de toutes sortes, de toutes tailles, de toutes fonctions, qu'on désigne trivialement de la même expression fourre-tout : *les bagages* ! Un conteneur ! Une vulgaire caisse, voilà ce qu'il avait trouvé pour notre grand départ vers la terre d'Afrique. Mémoria ne fit rien pour nous épargner un vol inconfortable, entassés que nous étions dans cette horrible boîte noire. Alors, le décollage, la ville qui s'éloigne, la danse des nuages, Dakar qui s'approche, la mer qui tire sa révérence à l'avion en face de l'aéroport Léopold-Sédar Senghor, nous n'avons rien vu de tout cela. Nous arrivâmes, abrutis par le bruit des moteurs. De l'aéroport nous ignorons tout. Enfermés dans le conteneur deux jours avant le départ, ce n'est que le surlendemain de notre arrivée à destination qu'on nous libéra enfin de notre prison.

— Estimez-vous chanceux, Canapé, toi et tes comparses, puisque, achetés en France, ce fut votre seul vol dans les ténèbres. Nous, Coumba Djiguène, Masque, moi, Chasseur, et bien d'autres qui comme nous étaient venus du Sénégal avec Mémoria, en étions à notre deuxième plongée dans le ventre de cet ogre métallique. Parfois, les voyageurs applaudissent quand l'avion touche le tarmac, sans se douter de notre joie, à nous aussi, de quitter la soute et de respirer enfin l'air libre…

— Surtout l'air marin de Dakar, renchérit Collier de perles. En descendant de la passerelle, Mémoria huma l'air à se dilater les narines.

Dans le hall, trop faible pour traîner une valise, elle laissa Makhou s'occuper des formalités et des bagages. Les parents de ce dernier, alertés par leur fils, mais vaguement renseignés sur l'état de santé de Mémoria, étaient venus les accueillir. Dès qu'ils furent tous dans la voiture, en direction de la maison familiale, la jeune femme demanda et obtint un crochet à la plage de Yoff. Là, face à l'océan, elle s'écarta légèrement de Makhou qui, la voyant chanceler, s'empressa de la soutenir. Debout, elle se recueillait, puis, soudain inspirée, elle oublia ses compagnons et déclama :

« Mère Afrique, pardonne !
Pardonne à tes enfants, partis à l'aube,
Loin de tes yeux,
Loin de tes dieux./

Vent de Yoff !
À toi mon visage,
Que le souffle de l'Afrique
Caresse mes plaies d'Europe.
Mère Afrique, pardonne-moi.
Afrique mère, embrasse l'autre moi./

Mère Afrique, pardonne !
Pardonne à tes enfants partis à l'aube,
Puisqu'ils t'endeuillent de leur absence
Et te reviennent, toujours autres./

Je t'ai quittée, à l'aurore de mes désirs,
Me voici, au crépuscule de mes soupirs.
Le partant est un enfant, ignorant,
Reçois le revenant, le repentant.
J'ai cru au bonheur de l'errance,
Je ne rapporte que mes rêves rances./

Mère Afrique, pardonne !
Pardonne à tes enfants partis à l'aube,
Puisqu'ils te reviennent autres,
Ils ne te reviennent pas./ »

— Collier de perles, on peut dire que tu n'avais pas le cœur à la fête ce jour-là, remarqua Masque.

— Ah non ! Croyez-moi, il y a des moments où un collier de perles n'embellit plus une dame. La beauté des perles, alliée à la tragédie, constitua un pitoyable oxymoron. Sur la solennité désolée de Mémoria, toute parure paraissait indécente. Suspendu à son cou, je remerciais la nuit de me couvrir de sa discrétion. Mais point n'était besoin de lumière pour mesurer la tristesse de Makhou.

— Oui, les secondes lui semblaient interminables, pendant le soliloque de Mémoria. Même à moi, Montre, le temps parut figé. Ému par la mélopée de sa compagne, Makhou la saisit par les épaules, la secoua un peu, comme pour lui faire admettre l'existence de son corps : « Tu es là, lui dit-il, bien là, tu es rentrée, tu es revenue vers ta mère Afrique. Je t'avais bien dit que tu pouvais compter sur moi : nous voici, les pieds dans le sable de la plage de Yoff, regarde ! Mémoria, nous sommes bien revenus, ici, chez nous. Allons maintenant à la maison, tu dois te reposer. » Lorsqu'ils revinrent à la voiture, les parents de Makhou, qui les avaient patiemment attendus, leur jetèrent des regards interrogateurs, mais quelque chose dans la voix de leur fils reporta la discussion.

— Ils s'étonnaient sans doute de l'attitude de leur bru, supposa Ordinateur. Une nouvelle venue qui s'adresse d'abord à la mer, avant de causer à ses semblables, avouez qu'il y avait de quoi susciter la perplexité. Quelques jours plus tard, elle se servit de moi pour rédiger les paroles bizarres qu'elle avait débitées à la plage, et auxquelles je n'ai toujours rien compris.

— Ce n'étaient pas ses paroles qui intriguaient le plus ses beaux-parents, mais son aspect, assura Collier de perles. En les quittant, Mémoria était une fille bien portante, dont le sourire creusait les joues d'adorables fossettes. Et la voilà qui débarquait, chancelante, squelettique, les yeux au fond des orbites et la peau aussi ridée qu'une octogénaire. Alors, ils la scrutaient tout en attendant des explications de leur fils.

— La parole est un œuf de tortue, sa peau est souple, mais il ne libère son petit qu'à terme. Voilà ce que je crois, moi, Masque, qui ai l'habitude d'assister aux importantes palabres. Makhou couvait, mûrissait ses mots, en attendant le bon moment pour les livrer.

— Il n'attendit pas trop. Ce fut le soir même de leur arrivée. Fatiguée, Mémoria s'était retirée de bonne heure, dans l'appartement qu'elle occupait avec son mari, avant leur départ pour la France. Moi, Montre, elle m'avait oubliée sur la table du salon de ses beaux-parents. Resté seul avec ses parents, Makhou devança leurs questions. Discours fleuve, sans détour. La vérité, tel un gouffre attirant. Plouf ! Sans les parachutes de la morale, sans gilet de sauvetage, ses parents nageaient en pleine vase. De l'air, de l'air ! Aucun souffle, ils haletaient comme des carpes à marée basse. Aucune fuite possible, les pirouettes de l'hypocrisie s'arrêtaient là où commençait le verbe de leur fils, enfin décidé à rompre toutes les entraves imposées à sa propre nature. Il s'adressa à eux, les yeux sur leurs paupières baissées : « Vous avez toujours su que je suis homosexuel. Tamara, son appartement, son école de danse, vous avez tout financé, en échange de ma discrétion. N'ayant rien pu contre mon amour pour Tamara, vous avez fermé les yeux. Pourtant, l'existence de ce lien affectif ne vous a pas empêché d'organiser mon mariage avec Mémoria, en sachant très bien que vous fabriquiez un faux couple. Aujourd'hui, elle est perdue, à cause de vos égoïstes convenances de notables et de mon imbécile docilité. À nous maintenant de panser ensemble les plaies que nous lui avons causées... » Makhou leur déballa tout : la vie en France, sa vaine tentative de vie de couple, sa rencontre avec Max, la séparation, le désespoir de Mémoria, sa vie destructrice et enfin cette terrible maladie dont elle ne guérirait jamais. « Elle n'a qu'à rentrer chez ses parents, dans sa maison paternelle, auprès des siens... », avait commencé la mère de Makhou, mais une réflexion acerbe de son fils la musela : « Je te signale que tu es la principale instigatrice de ce drame ! Si tu n'avais pas tout manigancé avec le père de Mémoria, nous n'en serions pas là. Et puis, comme tu le sais bien, toi qui nous as sacrifiés au respect des traditions, une femme mariée appartient à la famille de son époux. Nous la garderons donc ici, jusqu'à son dernier souffle. Et puisque tu es médecin, j'exige que tu lui assures tous les soins nécessaires. »

— Moi, Coumba Djiguène, je trouve que la mère de Makhou avait raison. Qui mieux que sa mère pouvait s'occuper de Mémoria ? Elle aurait dû rejoindre les siens.

— Les choses n'étaient pas aussi simples. Moi, Collier de perles, je sais à quoi j'ai assisté. Dès le lendemain de son arrivée, Mémoria accueillit avec joie sa famille au grand complet. On se réjouit de sa venue, on l'interrogea sur ce magnifique pays dans lequel elle avait eu la chance de vivre si longtemps. Elle raconta sans emphase. Évidemment, personne n'avait oublié les mandats, ni elle ni ceux qui les avaient reçus, mais comme c'était un dû, les remerciements furent sobres, elle les accepta humblement, sachant qu'on espérait plus de sa présence. Comme elle avait conscience qu'elle ne pourrait plus leur garantir ce que le destin lui prenait, la vie, elle vida son sac : son faux couple, sa séparation qu'elle leur avait cachée ; et puis, voyant que son corps décharné semait des points d'interrogation autour d'elle, elle révéla sa maladie, ses jours comptés, l'unique raison pour laquelle Makhou l'avait ramenée au pays. Curieusement, elle ne dévoila rien de la vie sentimentale de son époux. Elle attendit, en vain, des réactions compatissantes. Le dégoût se lisait sur les visages, même sur celui de sa mère. Au bout d'un long moment de silence, son père lui cracha ce que tous pensaient sans oser l'affirmer : « Cette maladie n'infecte que les dégénérés qui mènent une vie dissolue. Tu ne l'aurais jamais attrapée si tu t'étais bien comportée là-bas. Ma fille, que j'ai bien éduquée, ne peut être devenue une dépravée qui nous apporte de surcroît cette saleté contagieuse. Dorénavant, je t'interdis tout contact avec ma famille et que tous ceux qui obéissent à ma loi se le tiennent pour dit. » Dès qu'il eut fini, il se dirigea vers la sortie, imité par sa suite. Mémoria arrosa ses retrouvailles de larmes si abondantes qu'elles m'auraient emporté, moi, Collier de perles, si je n'étais solidement accroché à son maigre col. Ses sanglots alertèrent Makhou, qui accourut la consoler : « Je t'avais conseillé de ne rien leur dire. Ici, les gens pensent n'importe quoi de cette maladie. Au lieu d'aider les malades, ils les diabolisent et les rejettent. Dire qu'ils sont eux-mêmes si exposés au mal qu'ils fuient, puisqu'ils ignorent autant son mode de transmission que les règles élémentaires pour s'en prémunir. Ne t'inquiète pas, j'irai leur expliquer. Il est certain que je ne pourrai pas tous les convaincre, mais peut-être que ta mère, elle au moins, acceptera de te soutenir. Quoi qu'elle décide, ne t'en fais pas, tu ne seras pas seule, moi je reste ici, je ne repars pas en France comme prévu. Je vais m'occuper de toi et ma mère t'assurera tous les soins qui te sont nécessaires. »

— Frupp, frupp, pauvre Mémoria, renifla Mouchoir, pauvre Makhou aussi, il renonçait donc à son Max qui l'attendait, là-bas. Mais la mère de Mémoria a-t-elle fini par comprendre ? Était-elle revenue à de meilleurs sentiments à l'égard de sa fille ? Et ses frères et sœurs ?

— Hélas, non. En tant que Montre, j'ai sonné des heures, compté des jours, des nuits et des mois sans le moindre signe de leur part. Makhou s'étant lassé d'implorer sa belle-famille, Mémoria n'espérait plus rien des siens ; il lui restait l'amertume de les avoir entretenus jadis, quand, écumant les trottoirs d'Europe, elle leur envoyait de quoi mériter ses galons de brave fille.

— L'oubli est humain, dit Chasseur.

— Oui, il est même utile quand il permet d'effacer la peine et la rancœur de la mémoire, renchérit Masque. Quand il élimine le souvenir des bienfaits reçus, on l'appelle ingratitude. Mais j'ai assez fréquenté les humains pour réaliser qu'il faut savoir agir en leur faveur sans rien attendre en retour. Après avoir accompli tant de missions au service de leurs ancêtres, ne me relèguent-ils pas au rang de vulgaire objet de décoration ?

— Et que devrais-je dire, moi, Coumba Djiguène ? Ma généreuse poitrine figurait la fertilité. Ma coiffure arrondie suggérait la douceur de la mariée, cette forme de dune toisant le ciel était la promesse d'un épanouissement spirituel, pour celles qui accédaient aux délices de la chambre nuptiale. Aujourd'hui, de belles effrontées se servent de moi comme d'une banale poupée kitsch. Où se terre la considération d'antan ?

— Dans l'oubli, ma chère Coumba Djiguène, seul l'oubli banalise les choses, les êtres et les faits. Rien n'est caduc, c'est l'oubli qui est aisé. Ce même oubli qui permit au vieux lion aveugle de manger la jeune biche qui le guida jusqu'à la rivière. Assoiffé depuis des jours, il avait pu se désaltérer grâce aux yeux de la biche, qui poussa la gentillesse jusqu'à le raccompagner dans son antre. Mais, arrivé chez lui, il ne pensa plus qu'à sa faim et croqua sa bienfaitrice. Quelques jours plus tard, il mourut de soif dans sa tanière.

— Pfrup, pfrup ! Ne me dites pas que c'est un lion qui a mangé Mémoria ! Oh, c'est horrible ! Pfrup ! Je m'attendais à tout sauf à ça.

— Mais non ! Ce que t'es bête, Mouchoir ! De mémoire d'Ordinateur, je n'ai jamais vu quelqu'un d'aussi stupide que toi ; Masque met en parallèle la situation de Mémoria et celle de la petite biche, ce n'est qu'une comparaison, bon sang !

— Une pompe à raison ? insista Mouchoir, mais où la puise-t-on, la raison ?

— Une *comparaison*, Mouchoir ! s'exaspéra Montre, tu es con comme un compas, mais c'est quand même facile à comprendre, non ? D'ailleurs, dans ce petit conte de Masque, il s'agit plus précisément d'une allégorie, le lion incarnant l'idée de la trahison et de l'oubli. Mémoria a subi la même ingratitude que la biche, elle a aidé des gens qui lui ont refusé leur assistance quand elle en a eu besoin. Bref, nous pouvons caqueter, cumuler des mots, concocter des sauces aigres-douces avec les sentiments humains, il n'en demeure pas moins que, chaque constat constituant une strate de l'entendement, le questionnement continue : la générosité sincère, celle qui donne sans obliger, n'est-elle pas justement celle qu'on a le droit d'oublier ? Voilà à quoi Mémoria devait cogiter.

— Et elle cogita longtemps. De fait, les propos de son père tracèrent la ligne de conduite du clan. Moi, Collier de perles, je ne voyais que Makhou à son chevet. La mère de ce dernier venait uniquement pour les piqûres et les régulières prises de médicaments. Il lui arrivait également de lui prendre la tension. Bien qu'elle consultât le plus grand professeur de sa clinique, elle traitait la maladie de sa belle-fille avec la même discrétion dont elle fit montre à propos de l'homosexualité de son fils. Pour éviter l'hospitalisation et la curiosité de ses collègues, elle avait médicalisé la chambre du jeune couple. Assumant une telle mission malgré elle, elle veillait au grain, sous l'œil exigeant de son fils. Comme elle ne disait jamais rien, Makhou insistait souvent pour obtenir des précisions sur l'état de santé de sa femme. Elle lui répondait vaguement, peut-être était-ce sa façon à elle de ménager son fils.

— Oui, mais il n'était pas dupe. Moi, Oreiller, je peux vous dire qu'en présence des gémissements nocturnes de Mémoria même un moine bouddhiste aurait perdu la foi. Cependant, avec une patience inlassable, Makhou la cajolait, lui consacrait ses jours et ses nuits. Il savait que c'était la fin mais, conscient d'être son seul soutien moral, il essayait de tenir bon et ne se donnait pas le droit de laisser paraître la moindre faiblesse, jusqu'à ce jour d'été...

— Oui, ce jour du mois d'août, le jour le plus long de ma vie de Montre. Dès l'aube, Mémoria eut des convulsions inquiétantes. Makhou se remémora leur dernière conversation. Comme à son habitude, il profitait de la douceur matinale pour aérer l'appartement et évacuer un peu une persistante odeur médicamenteuse. Ouvrant la fenêtre, il adressa sa phrase rituelle à son épouse : « Regarde, Mémoria, comme il fait beau ! » « Oui, je sais, avait-elle répondu. Je me suis réveillée avant toi et cela fait un moment qu'un faisceau lumineux taquine mes pupilles, les persiennes n'étaient pas complètement fermées... » Puis, le visage soudain éclairé d'un sourire, elle poursuivit : «... Je me dis que je ferais bien comme Colette : changer simplement de file, prendre le couloir de gauche ; à défaut de changer le désordre du monde, tourner le dos au feu rouge et foutre le camp, par une belle journée d'été. Il n'y a aucune raison de choisir la grisaille pour entamer ses plus longues vacances. Que les hommes s'endimanchent et que les dames revêtent leurs plus beaux atours pour m'accompagner là où les larmes font pousser les fleurs ! » Désorienté, Makhou avait fait mine de ne pas comprendre : « Mais enfin, de quoi parles-tu encore ? » « De partir, après avoir longtemps dérivé comme une algue de l'Atlantique, de m'envoler libre, libre comme un papillon mauve qui s'en irait butiner l'arc-en-ciel. » Le souvenir de cette discussion raviva l'inquiétude de Makhou. La réalité ne lui apporta aucun réconfort. La matinée fut ponctuée d'évanouissements et de réveils douloureux. Au bord de la crise de nerfs, Makhou harcelait sa mère, qui, à bout de forces, ayant tenté tout ce qui était médicalement possible, se résigna à lui assener son ultime diagnostic : « C'est fini, elle ne passera pas la journée. »

— À ces paroles, Makhou perdit son contrôle et fondit en larmes. Il faisait très beau, le gris n'existait que dans le cœur des Hommes. Allongée, la tête calée sur moi, Oreiller, Mémoria émergeait d'un énième évanouissement. Makhou la saisit, l'entoura de ses bras et lui murmura : « Je suis là, ma chérie, je suis là », « Donne-moi à boire, souffla-t-elle, j'ai si chaud, je suffoque, je vais mourir... » Pendant que sa mère courait chercher de l'eau fraîche, Makhou se confessa à la malade qui serrait convulsivement sa main : « Sur ton front chaud, je dépose ces baisers ardents longtemps retenus, diffus dans le chaos de mon âme. Ton corps, qui déjà se meurt, emporte avec lui l'amour que je n'ai jamais su te donner ici-bas, car, désormais, mon cœur t'appartient. Tiens, bois, ma chérie, bois. Je t'interdis de mourir. Tu ne mourras pas, par le souvenir je te volerai à la mort. » Mais, le verre à peine entamé, un bruit caverneux ne fit entendre. « Je t'interdis de mourir ! Tu m'entends ? Ne me laisse pas ! » Mais la main de Mémoria s'était desserrée. « Je t'interdis de mourir ! Je t'interdis de... ! » hurlait Makhou, mais le regard de Mémoria fixait déjà d'autres horizons, loin, très loin de l'espace que pouvait couvrir le cri de son homme. Le médecin abaissa les paupières de la morte, couvrit le corps ; la mère entoura son fils de ses bras et l'entraîna hors de la chambre. Quelques minutes plus tard, la radio de la mosquée du quartier annonça le décès. La famille de la défunte accourut, elle devait faire son devoir. Les pelles n'étaient pas loin et les fidèles, même s'ils ne s'en réjouissaient pas, étaient prêts à rendre immédiatement au Seigneur celle qu'il avait rappelée à Lui.

— Eh oui, soupira Masque. Et pendant qu'on s'occupe des corps, on oublie le décor, mais, après la levée du corps, on en revient pitoyablement aux objets. Après l'enterrement, les humains vinrent répertorier les biens de la défunte, en vue du Kétala qui devait avoir lieu, rituellement, le huitième jour à compter de celui du décès.

— Oui, en effet, les humains se détachent vite, la vie continue, dit Porte. Seul Makhou persiste dans une sorte de dialogue avec la défunte. Je l'ai vu, effondré dans le couloir, ne cessant de répéter, comme une incantation : « Ton âme partie sur les ailes d'un flamant rose. Mille libertés éclosent sur tes paupières closes. Les chaînes qui me rendaient morose ont perdu leur usage. Pourtant, je sais que je ne serai plus jamais libre, libre de cueillir une rose. Je suis et serai à toi à jamais, toi qui m'as emporté dans ton cœur. »

— Fruup ! Oh ! Fruup ! se moucha Mouchoir. Oh, le pauvre, il en a perdu le goût de vivre. Mais qu'est-il devenu, après ? Où est-il ?

Quelqu'un fit grincer la porte de l'appartement, traversa le salon et ouvrit toutes les fenêtres, avant de revenir s'allonger sur le Canapé. Une vive lumière inonda les lieux.

— Ah non ! se froissa Mouchoir. Encore ce type ! C'est toujours le même qui vient nous interrompre. J'espère que Masque ne va pas encore suspendre la séance, par respect pour cet inconnu. Je ne suis pas une montre, mais depuis le temps que dure notre assemblée, j'imagine que le Kétala est pour bientôt.

— Exact, moi, Montre, sans avance ni retard, j'ai bien compté, les heures, les nuits et les jours : le Kétala se tiendra aujourd'hui, cette après-midi même, c'est-à-dire dans deux heures à peine.

— Et Makhou, dans tout ça ? insista Mouchoir. Qu'en dit-il ? Où est-il ? Qu'est-il devenu ? Mais bon sang, renseignez-moi !

L'homme allongé sur le canapé se releva. Une nervosité croissante l'incitait à faire les cent pas, d'une pièce à l'autre. Maintenant, accoudé à la fenêtre, il observait le remue-ménage qui régnait dans la vaste cour de la maison. Il y avait plus de monde que d'habitude, mais l'atmosphère restait solennelle. Même les femmes qui s'activaient à la cuisine parlaient avec retenue. Puis une voix se détacha des murmures. « Makhou, tu viens déjeuner ? » « Non, merci », répondit l'homme, toujours collé à la fenêtre.

— Ah, c'est donc lui ! s'exclama Mouchoir. C'est donc le maître des lieux qui nous interrompait !

— Tu comprends maintenant pourquoi je suspendais notre réunion à chacune de ses entrées ? Je t'avais dit que seule ta patience t'instruirait. D'ailleurs, pour un mouchoir, je trouve que tu as une sacrée longévité, sans compter que tu risques d'être épargné par le sort qui nous guette, car je me demande qui va vouloir hériter d'un chiffon usagé. Bon, trêve de plaisanterie, mes chers amis, l'heure est grave : comme vous vous en doutez, dès qu'ils auront fini de déjeuner, ces humains viendront nous sortir d'ici pour procéder au partage des biens de Mémoria. Maintenant que nous nous sommes raconté l'essentiel de la vie de notre pauvre maîtresse, si personne n'a rien de fondamental à rajouter, je déclare la séance close.

Épilogue

Au loin, l'appel du muezzin, pour la prière de la mi-journée, semblait porter la complainte des sans-voix. L'omnipotence divine qu'il claironnait mettait en exergue l'impuissance des Hommes. Dans son paradis, rien n'est prévu pour les meubles qui se polissent à servir ceux qu'il a créés à son image. Pourtant, on dit que les objets ressemblent à leur propriétaire.

— Tiens, il est encore là, notre visiteur. Makhou n'est pas parti prier aujourd'hui, constata Chasseur. L'autre jour, il s'était rendu à la mosquée avec son chapelet. A-t-il perdu la foi depuis ?

— Non, dit le chapelet posé sur la table. La dernière fois, on lui avait reproché sa tenue vestimentaire, son jean en fuseau et sa chemise moulante jugés provocants. Depuis, il a décidé que sa relation avec Dieu ne regardait personne et qu'il n'avait pas besoin d'un lieu géographiquement délimité pour s'adresser à lui, puisqu'on le dit omniprésent.

— Mais que se passe-t-il ? interrogea Montre. Ils ont fini de déjeuner, la prière est à présent terminée et nul ne vient nous quérir. Les humains ont peut-être abandonné leur funeste projet.

— Ne te réjouis pas trop vite, fit Masque. Depuis ce mur où je suis perché, j'aperçois des gens dans la cour, en majorité des hommes, qui disposent précautionneusement des bancs en cercle. Au milieu, ils ont étalé plusieurs nattes, dont une, la plus jolie, un petit peu à l'écart, en face des autres, est probablement réservée à l'imam. L'autel est prêt. Tenez, toute la famille de Mémoria s'installe.

— Non, ceux-là ? Décidément ! s'étonna Coumba Djiguène. Je me demande ce que Makhou pense d'eux, mais moi...

— Chut ! l'interrompit Masque, justement, écoutons-le. Il parle tout seul, j'espère qu'il n'a pas perdu la tête.

Toujours appuyé au rebord de la fenêtre, Makhou bougonnait : « Les voilà qui arrivent, sûrs de leur pas, déterminés par leur croyance et obstinés quant à l'abominable dessein qui les hante depuis que, non contents d'avoir entassé la terre brûlante sur ton pauvre corps, ils s'approprient secrètement tes affaires. Et ci ? Et ça ? À toi ? À moi ? À lui ? Et, puis zut ! À moi ! Tout à moi ! Chacun voudrait tout emporter, seul. Aujourd'hui, charognards au bec piqué de velours, ils veulent déchiqueter ton existence en mille morceaux, tout en donnant l'impression de se réunir pour mieux la souder. Oh oui ! Toute ta famille est là ! Elle est enfin là ! Pour bluffer le candide, certains ont adopté des tenues sobres au blanc virginal, une pureté qui contraste étrangement avec ce que je sais d'eux. D'autres lancent un bonjour inaudible, se raclent la gorge, comme étranglés par un dernier sanglot, un tardif regret. Bientôt, quand l'imam donnera le signal, leur voix se fera limpide et charriera des prières destinées non aux oreilles divines, mais à celles de l'assistance qu'il faut impressionner et ramollir pour mieux lui faire accepter l'injustice du partage : selon la tradition musulmane, quand les parents meurent, une fille n'hérite qu'un tiers de ce que reçoit un enfant mâle. Les filles sont-elles nées autrement ? Sont-elles facultatives ? Bref, tu n'as pas d'enfants. Ce sont donc tes parents, tes frères et tes sœurs qui s'attroupent autour de tes biens ; or, peu m'importe le sentiment d'injustice de ceux-là mêmes qui t'ont abandonnée à la solitude et aux atroces souffrances de la maladie. Bien sûr, ils embelliront les souvenirs, minimiseront tes douleurs afin de disqualifier ma révolte ; c'est ainsi qu'ils banalisent leur cruauté. Que savent-ils de tes peines, pour revendiquer tes objets et tes habits qui en sont imprégnés ? Que savent-ils de tes nuits blanches, le long des trottoirs d'Europe ? Savent-ils seulement que tu as donné ta vie pour leur pain de tous les jours ? Non ! Ici, nul ne te connaît autant que moi, car on n'est jamais aussi authentique que dans le tourment ; or tu as porté ta croix à mes côtés. Je t'ai vue aimer, haïr, espérer, désespérer, souffrir et mourir. J'entends encore l'éclat de ton rire et ta voix rauque, quand tu chantais le blues. Maintenant, c'est moi qui chante le blues, la nuit, à l'heure où tu m'appelais. Mais je ne garderai pas seulement tes CD de Barbara, il me faut tout le décor où s'est déroulée notre tragédie. Puisque la loi divine place la femme sous la tutelle de son époux, notre mariage, même bancal, me donne le droit d'emprunter leurs arguments de faux dévots, afin de me proclamer garant de ta mémoire. Je ne les laisserai pas disperser tes affaires ! »

La mère de Makhou, accompagnée d'une poignée d'hommes, entra dans l'appartement ; voyant son fils immobile, elle l'interpella : « Makhou, l'imam est arrivé. Tout le monde est là, ces garçons vont porter toutes les affaires de ton épouse devant l'assistance, mais on a besoin de toi pour procéder au Kétala. Ta présence est indispensable, fais un effort. » « D'ici, je vois tout », répondit-il froidement. En quelques allers et retours, tout ce qui appartenait à Mémoria fut extrait de l'appartement et exposé aux yeux de tous. Certains visages s'illuminèrent : il y avait là de quoi satisfaire l'avidité de la plupart des proches. L'imam et ses acolytes occupèrent la grande natte qui leur était dévolue. Ceux qui n'avaient pu trouver place à proximité se tassèrent sur une rangée de chaises disposées sur le perron. Ce tas d'affaires, c'était tout ce qui restait de Mémoria, les seules marques tangibles de son passage sur terre et, une semaine après sa mort, on allait déjà passer la gomme. Après la courte prière rituelle, l'imam déclara : « Comme le veut la tradition musulmane, nous sommes donc réunis aujourd'hui afin de procéder, selon les règles de l'islam, au partage de l'héritage de notre regrettée fille, sœur, épouse, parente, Mémoria. »

On entendit quelques gémissements sourds, en guise d'acquiescement. L'office commença. Aidé de son adjoint, l'imam s'attaqua d'abord à la montagne de vêtements et fit apparaître bientôt, tout autour de lui, de nombreux monticules de différentes tailles.

— Mais regardez ! ronchonna Marinière, ils préparent déjà leurs grands sacs ! Ils vont vraiment nous emporter ! Bande de pilleurs ! Je me demande s'ils ne vont pas prendre jusqu'au mari éploré !

— Crrrr, crrrrr, s'agita vieux Collier de perles, qui sait ? Sache, Marinière, que même si c'est exceptionnel, il arrive à ces *hériteurs* de consoler le veuf, en remplaçant l'épouse décédée par l'une de ses sœurs, lorsqu'il s'en trouve une de libre. Et depuis des lustres, ils pratiquent le lévirat : j'ai accompagné assez de leurs générations pour pouvoir te certifier que la veuve n'y chôme pas longtemps. Son deuil à peine entamé, on lui désigne déjà le frère ou le cousin de son défunt mari qui héritera d'elle comme d'une vulgaire assiette ébréchée.

— Vulgaire toi-même ! hurla Assiette, vexée. D'ailleurs, qui voudra de toi, un minable assemblage de cailloux jaunis ?

— Le lévirat ! Et voilà ! Je trempe, tu trempes et on trempe dans la même soupe ! Alors, là, quand c'est infesté ! railla Montre. Tournée générale pour les MST ! Exponentielle, la contagion ! Au royaume de la polygamie et du lévirat, l'hécatombe est garantie. L'OMS n'y peut rien, ce sont les chefs coutumiers qu'il faut convaincre de réactualiser les mœurs. Bref, notre Makhou n'en est pas là. Épouser une sœur de Mémoria ? À mon avis, il faudra plus d'une pirouette pour l'engager dans un tel manège.

— Chut ! Taisez-vous ! L'imam a besoin de silence pour ne pas faire d'erreur, dit Ordinateur, ce n'est qu'un pauvre humain.

— Oui, malheureusement, dit Coumba Djiguène, il ne peut pas nous entendre et c'est pourquoi il ignore tout de notre affliction.

— Chuut ! Taisez-vous, fit l'adjoint de l'imam, s'adressant à deux des sœurs de Mémoria qui disputaient le vieux collier de perles à l'un de leurs frères.

— L'imam n'a pas besoin de nous pour faire des erreurs ! rétorqua l'une d'elles. Garçon ou fille, la défunte n'était-elle pas notre sœur pareillement ? Nous n'avons presque rien reçu par rapport à nos frères ! D'ailleurs, que feront-ils de ces affaires de femme ? Les revendre une bouchée de pain aux puces ou les refiler à leurs épouses qui n'avaient aucune relation avec notre sœur. Les affaires de Mémoria seront mieux entre les mains de ses sœurs, conclut-elle, péremptoire, en empoignant une magnifique robe non encore attribuée.

— Ils vont tous nous emporter ! cria Canapé, qui venait d'entendre quelqu'un parler de lui et qui se voyait maintenant approché par deux gaillards.

— Non, ils ne vont pas nous emporter, rassura Masque, Makhou ne l'entend pas de cette oreille. Pour l'instant, il observe et analyse la cupidité des héritiers à leur mine, changeante en fonction des attributions de l'imam. Tiens, le voilà qui déboule ! Écoutons-le !

« Rien ne sortira de cette maison ! rugit-il. Les affaires de ma femme seront mieux ici, chez moi, là où elle a couvé ses dernières plaies, renoncé à ses derniers rêves, éprouvé ses derniè-res tendresses, et non chez ses sœurs qui l'ont abandonnée à son triste sort ! Dehors ! J'ai dit dehors ! Sortez tous de chez moi ! Bandes de rapaces ! Je ne vous laisserai pas saccager, souiller la mémoire de ma femme. Nul parmi vous n'est digne de toucher à son dernier mouchoir usagé ! Rien ! Vous m'entendez ? Rien ne sortira d'ici ! Elle a passé sa vie à donner, à se donner, à vous donner, à vous qui ne pensez qu'à prendre. Puisque vous lui avez tout pris, l'amour, l'argent, la vie, laissez-moi l'intégralité de ses traces, moi qui sais qui elle était, comment elle riait, chantait, pleurait, comment elle aimait, jusqu'à la perte de soi-même. Parce qu'elle m'a sorti de l'indifférence, révélé le panel des sentiments, vivifiants ou dévorants, rassurants ou inquiétants, déchirants ou attendrissants, parce qu'elle a hissé mon cœur jusqu'au mât de l'Amour, au prix de son propre désespoir, je garderai toutes ses affaires. Ici ! Je les soignerai. Je les écouterai me parler d'elle. Je les laisserai guider mon cœur dans la seule contrée désormais mienne, Mémoria ! »

Parmi les meubles, entassés en vrac, le soulagement fut général. Chez les humains, on jugea l'événement sans précédent. Makhou avait perdu la raison, arguait-on, en se précipitant hors de sa demeure les mains vides. L'imam, avant de déguerpir, conseilla à sa mère de l'emmener voir un marabout, car l'esprit de la défunte voulait selon toute apparence punir l'époux d'on ne savait quoi et finirait par le rendre fou, si on le laissait faire. Cartésienne, la doctoresse pensa à un psychologue : son fils avait certainement subi un choc émotionnel dû à la perte de sa jeune et belle épouse. Un professionnel sauverait sa raison de la noyade mélancolique. Mais le veuf ne se laissa embarquer dans aucun de ces esquifs pleins de suppositions. Il se savait plus sain d'esprit que ceux qui proposaient de le faire soigner.

Un jour, une semaine, un mois, un an... Le temps filait comme bon lui semblait, les humains vivaient comme ils pouvaient. Avec indifférence, le soleil posait le même regard sur les joies et les peines. On prenait à chaque jour ce qu'il lui plaisait d'offrir. On s'activait, on s'épuisait dans l'illusion de donner un sens à son existence mais, en réalité, on comptait les moutons, en attendant le grand sommeil. Le muezzin criait toujours le nom de Dieu, ça rassurait. Harmattan/mousson, mousson/harmattan, les saisons alternaient. Les serpents muaient, les hommes évoluaient. La mère de Makhou finit par se rassurer sur le comportement de son fils, d'autant plus qu'il avait renoué avec le monde extérieur, se mêlait de commerce et retrouvait, peu à peu, ses habitudes de golden boy fêtard, sortant tard le soir, disparaissant complètement le week-end. Des années après le décès de son épouse, l'entourage s'étonnait de son veuvage interminable, de son célibat prolongé. On lui fit des propositions de noces qu'il refusa sans ménagement. Les marieurs patentés et les dames diplomates des froufrous finirent par se lasser et se résignèrent à admirer sa fidélité à la mémoire de sa femme. Seule la mère de Makhou savait que, quelque part dans Dakar, une certaine Tamara reprenait goût à la vie. Son père amnésique avait fini par mourir, mais Tamsir-Tamara nageait maintenant dans un bonheur qui n'était pas dû au seul succès de son école de danse : un chant printanier avait chassé la solitude de son cœur et irradiait son visage d'un sourire permanent. Presque tous les soirs, pour le dîner, Tamsir-Tamara attendait quelqu'un, avec qui elle s'offrait de grasses matinées et des petits déjeuners en tête-à-tête.

Là où règne l'oubli, seul le chagrin des morts ne s'efface pas. La chair, le désir, les pulsions, les émois des vivants reprennent toujours leur souffle pour repartir de plus belle. On ne meurt point avec ses morts. Ceux que nous croyons partis avec des bouts de nous-mêmes ne sont pas morts, ils subsistent dans tout ce qui nous redonne la force de vivre. Tamara était le fleuve qui continuait d'irriguer et de fleurir l'existence de Makhou, une terre où se récoltait un amour pur, renforcé par le souvenir de Mémoria. Au cimetière de Bel air aussi, les saisons se succédaient, arrosant et desséchant les mauvaises herbes sur les tombes anonymes. Celle de Mémoria se distinguait par sa propreté et sa floraison permanente. Le vent aplanissait les stèles, s'engouffrait dans les profondeurs de l'âme d'où il s'extirpait, emportant des lambeaux de souvenirs dans les soupirs. Dans l'ancien appartement conjugal, les meubles demeuraient immobiles, porteurs d'empreintes bientôt masquées par des couches successives de poussière. Silencieux décor, corps du silence, ultime langage, voix de l'absence.

Le Kétala n'eut jamais lieu. Les meubles ne furent jamais dispersés. Ils croupissaient ensemble, rongés par la nostalgie de leur propriétaire. Le manque d'usage les déprimait, car l'honneur d'un meuble, c'est de servir, mais ils ne se plaignaient guère. Ils savaient tous que, lorsque les humains voient une calebasse brisée ou une vieille assiette ébréchée, ils ne songent jamais aux mets succulents qu'elle a pu contenir. Voilà pourquoi, *lorsque quelqu'un meurt, nul ne se soucie de la tristesse de ses meubles.*

Fin !

8424

Composition Nord Compo
Achevé d'imprimer en France (La Flèche)
par Brodard et Taupin
le 13 août 2007. 43077
Dépôt légal août 2007. EAN 9782290001547
Éditions J'ai lu
87, quai Panhard-et-Levassor, 75013 Paris
Diffusion France et étranger : Flammarion